AS **PULSÕES**
E SEUS DESTINOS

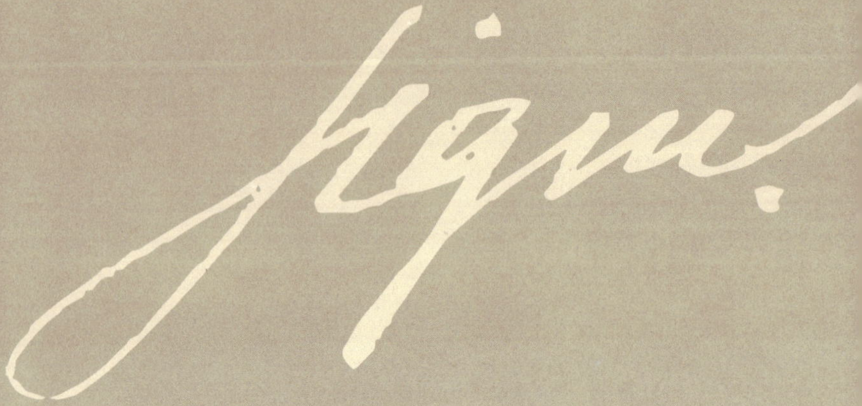

OBRAS INCOMPLETAS DE **SIGMUND FREUD**

Freud

AS **PULSÕES**
E SEUS DESTINOS

EDIÇÃO BILÍNGUE

1ª edição
11ª reimpressão

TRADUÇÃO
Pedro Heliodoro

autêntica

7 Apresentação

13 As pulsões e seus destinos
(Triebe und Triebschicksale)

73 Sobre a tradução do vocábulo *Trieb*
Pedro Heliodoro

91 Epistemologia da pulsão: fantasia, ciência, mito
Gilson Iannini

135 Uma gramática para a clínica psicanalítica
Christian Ingo Lenz Dunker

159 Obras Incompletas de Sigmund Freud

APRESENTAÇÃO

Gilson Iannini
Pedro Heliodoro

Um clássico. Quando Freud redigiu e publicou, durante a Primeira Guerra, *As pulsões e seus destinos*, não era possível prever que esse breve ensaio se tornaria um clássico, não apenas de Freud ou da Psicanálise, mas do século XX. Com efeito, não se trata apenas do texto de abertura do conjunto de artigos concebidos entre 1914 e 1915 para apresentar sua *Metapsicologia*. Trata-se também de uma verdadeira súmula dos processos que fundam a especificidade da clínica psicanalítica em relação a outras formas de cura, tratamento e terapia. Não é exagero dizer que a teoria das pulsões, bem como a teoria do inconsciente, "está para a Psicanálise assim como a Anatomia e a Fisiologia estão para a Medicina" (DUNKER, 2013, p. 155). Mas o impacto da teoria freudiana das pulsões não se confina apenas à prática analítica: diversos campos do saber, como a Filosofia, a Teoria Social, a Estética, a Literatura, entre outros, foram permeáveis, em maior ou menor grau, ao modo como Freud descreveu a gramática de nossas escolhas e nossos desejos, a lógica de nossas fantasias inconscientes e os processos de transformação envolvidos nelas. Que processos presidem a eleição por um sujeito de seus objetos de desejo? Como, por exemplo, o

amor pode se transformar em ódio? Como um desejo por um determinado objeto pode ser obrigado a deslocar-se em direção a outro objeto? Como uma moção pulsional (agressiva ou erótica) dirigida a um terceiro pode voltar-se contra a própria pessoa? Que mecanismos presidem nossas escolhas sexuais? No texto que o leitor tem em mãos, Freud apresenta o conceito de pulsão, que está na base dos processos que determinam os modos como nós amamos, desejamos, sofremos. Em *As pulsões e seus destinos*, assistimos a um esforço obstinado de sistematização deste que, não por acaso, recebeu o estatuto de "conceito fundamental". Tão ou mais fundamental do que o próprio inconsciente, a pulsão é um "conceito fronteiriço", situado *entre* o corpo e o aparelho psíquico. Apesar de sua relativa "obscuridade", admitida aliás pelo próprio Freud, o conceito de pulsão ilumina a metapsicologia e demarca a especificidade da clínica psicanalítica. Ao discutir os fundamentos de nossa economia libidinal, Freud também desenha um quadro sinóptico dos *destinos* das pulsões. Uma pulsão pode, ainda que parcialmente, satisfazer-se num objeto, provocando prazer; pode ser revertida em seu oposto; pode retornar ao próprio Eu; pode ser recalcada, sublimada, etc. A gramática dessas transformações é apresentada de modo claro e sucinto. Os destinos das pulsões dependem de fatores os mais diversos, ligados às contingências dos encontros e dos desencontros da vida de um sujeito.

Contudo, assim como os destinos das pulsões são múltiplos e envolvem complexos processos de transformação, também os destinos do próprio conceito de pulsão não foram menos dramáticos. De fato, o *Trieb* freudiano é o conceito em que a dificuldade de tradução rapidamente se converte em disputas teóricas, etimológicas,

epistemológicas e, sobretudo, clínicas. A riqueza do vocábulo alemão teve destinos diversos conforme o solo em que foi implantado. É amplamente conhecida a celeuma em torno da tradução por *instinto*, que remonta à primeira tradução inglesa das obras completas de Freud, quando seus editores preferiram verter *Trieb* por *instinct* (Tavares, 2011). Depois de algumas vicissitudes, todos nós nos acostumamos, no Brasil, a um estranho exercício de leitura substitutiva que recomendava algo do tipo: sempre que se deparar com a palavra "instinto", o leitor deverá, mentalmente, substituí-la por "pulsão". No entanto, a escolha aparentemente anódina de "instinto" para traduzir *"Trieb"* não pode dissimular sua vinculação quase imediata a uma certa ideia de natureza, para dizer o mínimo, muito longe de ser operatória na prática clínica. No limite, afinal, é difícil desvincular "instinto" de certas ressonâncias *normativas* contidas no léxico naturalista que o engloba. É claro que, sendo um "conceito fundamental", os principais componentes semânticos do conceito estão definidos no interior da própria Metapsicologia. Freud define seu conteúdo com extremo cuidado. Mas nem mesmo conceitos fundamentais comportam "definições rígidas", como reconhece o próprio Freud em 1915.

No presente volume, apresentamos ao leitor brasileiro, pela primeira vez, uma *edição bilíngue* desse importante texto. Aqueles que dominam o idioma de Goethe podem facilmente cotejar com o original e julgar por si mesmos nossas decisões. Sempre que possível, buscamos acolher as soluções incorporadas ao léxico psicanalítico brasileiro.

A tradução, direta do alemão, é acompanhada de notas que visam oferecer ao leitor, sobretudo àquele que não domina o alemão, esclarecimentos acerca de acepções

e matizes de certos termos cuja tradução apresenta alguma dificuldade suplementar ou que podem interessar pela ampliação do seu escopo semântico. Através das notas, procuramos também esclarecer ao leitor alguns princípios conceituais que balizam esta coleção de traduções da obra de Freud.

Desde o ensaio de Walter Benjamin sobre a *Aufgabe* do tradutor, muito se fala sobre sua *tarefa*, primeira acepção do vocábulo. Entretanto, *Aufgabe* também denota *renúncia*. Quando foi necessário aqui *renunciar* a escolha por um pretendido correspondente perfeito entre o alemão e o português, com o recurso das notas buscou-se dividir com o leitor a *tarefa* de lidar como essa falta inevitável, apontando tanto as polissemias no texto-fonte quanto o não isomorfismo entre as línguas em questão. Mas se ao verter Freud o tradutor se vê, por vezes, forçado a renunciar também em sua busca de conciliar o rigor conceitual e o primor estético, nessa busca, nossos esforços penderam mais para o rigor.

A presente edição apresenta ainda três ensaios complementares. O primeiro deles, de autoria de Pedro Heliodoro, discute os desafios da tradução do conceito freudiano de *Trieb* e justifica a opção por *pulsão*. No segundo texto, Gilson Iannini discute o estatuto epistemológico desse conceito fundamental, contextualizando-o no debate científico da época, e mostrando que a própria história do conceito de pulsão na obra de Freud coincide com a história de suas expectativas com relação ao pensamento científico. O terceiro texto, de Christian Dunker, estuda a dimensão clínica do texto de Freud, discutindo a gramática das pulsões. Três ensaios sobre a teoria das pulsões: o primeiro de natureza linguística, o segundo de natureza epistemológica, o terceiro de natureza clínica.

REFERÊNCIAS

DUNKER, C. I. L. Uma gramática para a clínica psicanalítica. (Neste volume.)

TAVARES, P. H. *Versões de Freud*. Rio de Janeiro: 7Letras, 2011.

AGRADECIMENTOS

Uma edição deste tipo não se faz sem o auxílio de muitas pessoas: Rejane Dias, que desde a primeira hora apostou neste projeto; Claudia Berliner, Emiliano de Brito Rossi, Pércio de Moraes Branco e Walter Carlos Costa, pela atenta leitura e pelas sugestões relativas à tradução; aos membros do conselho consultivo desta coleção, especialmente a André Carone; Christian Dunker, que aceitou participar deste volume com entusiasmo; Antônio Teixeira, que sugeriu que a edição fosse bilíngue; Luiz Abrahão, pelas valiosas sugestões epistemológicas.

Triebe und Triebschicksale

Sigmund Freud, 1915

As pulsões e seus destinos

Sigmund Freud, 1915

[O texto-base utilizado para a tradução foi cotejado com a edição *Gesammelte Werke* de 1999. Ed. Fischer/Frankfurt am Main.]

TRIEBE UND TRIEBSCHICKSALE

Wir haben oftmals die Forderung vertreten gehört, dass eine Wissenschaft über klaren und scharf definierten Grundbegriffen aufgebaut sein soll. In Wirklichkeit beginnt keine Wissenschaft mit solchen Definitionen, auch die exaktesten nicht. Der richtige Anfang der wissenschaftlichen Tätigkeit besteht vielmehr in der Beschreibung von Erscheinungen, die dann weiterhin gruppiert, angeordnet und in Zusammenhänge eingetragen werden. Schon bei der Beschreibung kann man es nicht vermeiden, gewisse abstrakte Ideen auf das Material anzuwenden, die man irgendwoher, gewiß nicht aus der neuen Erfahrung allein, herbeiholt. Noch unentbehrlicher sind solche Ideen – die späteren Grundbegriffe der Wissenschaft – bei der weiteren Verarbeitung des Stoffes. Sie müssen zunächst ein gewisses Maß von Unbestimmtheit an sich tragen; von einer klaren Umzeichnung ihres Inhaltes kann keine Rede sein. Solange sie sich in diesem Zustande befinden, verständigt man sich über ihre Bedeutung durch den wiederholten Hinweis auf das Erfahrungsmaterial, dem sie entnommen scheinen, das aber in Wirklichkeit ihnen unterworfen wird. Sie haben also strenge genommen den Charakter von Konventionen, wobei aber alles darauf ankommt, dass sie doch nicht

AS PULSÕES E SEUS DESTINOS

Frequentemente ouvimos a exigência de que uma ciência deve ser construída sobre conceitos fundamentais claros e precisos. Na realidade, nenhuma ciência, nem mesmo a mais exata, começa com tais definições. O verdadeiro início da atividade científica consiste, antes, na descrição de fenômenos, que serão depois agrupados, ordenados e correlacionados. Já na descrição, não se pode evitar a aplicação de determinadas ideias abstratas ao material, ideias tomadas de algum lugar,[1] por certo não somente das novas experiências. Tais ideias – os futuros conceitos fundamentais[2] da ciência – tornam-se ainda mais indispensáveis na elaboração posterior da matéria. No princípio, elas devem manter certo grau de indeterminação; não se pode contar aí com uma clara delimitação de seus conteúdos. Enquanto se encontram nesse estado, chegamos a um entendimento quanto ao seu significado, remetendo-nos continuamente ao material experiencial, do qual parecem ter sido extraídas, mas que, na verdade, lhes é subordinado. Portanto, elas têm a rigor o caráter de convenções, embora seja o caso de dizer que não são escolhidas de modo arbitrário, mas sim determinadas por significativas relações com o

willkürlich gewählt werden, sondern durch bedeutsame Beziehungen zum empirischen Stoffe bestimmt sind, die man zu erraten vermeint, noch ehe man sie erkennen und nachweisen kann. Erst nach gründlicherer Erforschung des betreffenden Erscheinungsgebietes kann man auch dessen wissenschaftliche Grundbegriffe schärfer erfassen und sie fortschreitend so abändern, dass sie in großem Umfange brauchbar und dabei durchaus widerspruchsfrei werden. Dann mag es auch an der Zeit sein, sie in Definitionen zu bannen. Der Fortschritt der Erkenntnis duldet aber auch keine Starrheit der Definitionen. Wie das Beispiel der Physik in glänzender Weise lehrt, erfahren auch die in Definitionen festgelegten »Grundbegriffe« einen stetigen Inhaltswandel.

Ein solcher konventioneller, vorläufig noch ziemlich dunkler Grundbegriff, den wir aber in der Psychologie nicht entbehren können, ist der des *Triebes*. Versuchen wir es, ihn von verschiedenen Seiten her mit Inhalt zu erfüllen.

Zunächst von seiten der Physiologie. Diese hat uns den Begriff des *Reizes* und das Reflexschema gegeben, demzufolge ein von außen her an das lebende Gewebe (der Nervensubstanz) gebrachter Reiz durch Aktion nach außen abgeführt wird. Diese Aktion wird dadurch zweckmäßig, dass sie die gereizte Substanz der Einwirkung des Reizes entzieht, aus dem Bereich der Reizwirkung entrückt.

Wie verhält sich nun der »Trieb« zum »Reiz«? Es hindert uns nichts, den Begriff des Triebes unter den des Reizes zu subsummieren: der Trieb sei ein Reiz für das Psychische. Aber wir werden sofort davor gewarnt, Trieb und psychischen Reiz gleichzusetzen. Es gibt offenbar für das Psychische noch andere Reize als die Triebreize, solche, die sich den physiologischen Reizen weit ähnlicher benehmen. Wenn z.B. ein starkes Licht auf das Auge fällt, so ist das kein Triebreiz; wohl aber, wenn sich die Austrocknung

material empírico, relações essas que imaginamos poder adivinhar[3] antes mesmo que as possamos reconhecer e demonstrar. Apenas após uma exaustiva investigação do campo de fenômenos que estamos abordando, podem-se apreender de forma mais precisa seus conceitos científicos fundamentais e progressivamente modificá-los, de modo que eles se tornem utilizáveis em larga medida e livres de contradição. Então, é possível ter chegado o momento de defini-los. O progresso do conhecimento, entretanto, não tolera nenhuma rigidez nas definições. Como nos ensina de modo brilhante o exemplo da Física, também os "conceitos fundamentais" firmemente estabelecidos passam por uma constante modificação de conteúdo.

Um conceito fundamental, convencional a essa maneira e até agora bastante obscuro, mas do qual não podemos abrir mão na Psicologia, é o da *pulsão*. Procuremos, pois, preenchê-lo com conteúdos, partindo de diferentes lados.[4]

Primeiramente, pelo lado da Fisiologia. Essa nos deu o conceito do *estímulo*[5] e o esquema do arco reflexo, segundo o qual um estímulo trazido de fora e que atinge o tecido vivo (a substância nervosa) é descarregado para fora por meio da ação. Tal ação está de acordo com seus fins,[6] se ela afasta a substância estimulada da influência do estímulo, se a retira de seu raio de atuação.

Como se relaciona, então, a "pulsão" com o "estímulo"? Nada nos impede de subsumir o conceito de pulsão no de estímulo: a pulsão seria um estímulo para o psíquico. Entretanto, logo somos advertidos quanto a fazer equivaler pulsão e estímulo psíquico. Claramente existem outros estímulos para o psiquismo além dos pulsionais; aqueles que se comportam de modo muito mais semelhante aos estímulos fisiológicos. Quando, por exemplo, uma luz forte atinge o olho, não se trata de um estímulo pulsional;

der Schlundschleimhaut fühlbar macht oder die Anätzung der Magenschleimhaut.[i]

Wir haben nun Material für die Unterscheidung von Triebreiz und anderem (physiologischem) Reiz, der auf das Seelische einwirkt, gewonnen. Erstens: Der Triebreiz stammt nicht aus der Außenwelt, sondern aus dem Innern des Organismus selbst. Er wirkt darum auch anders auf das Seelische und erfordert zu seiner Beseitigung andere Aktionen. Ferner: Alles für den Reiz Wesentliche ist gegeben, wenn wir annehmen, er wirke wie ein einmaliger Stoß; er kann dann auch durch eine einmalige zweckmäßige Aktion erledigt werden, als deren Typus die motorische Flucht vor der Reizquelle hinzustellen ist. Natürlich können sich diese Stöße auch wiederholen und summieren, aber das ändert nichts an der Auffassung des Vorganges und an den Bedingungen der Reizaufhebung. Der Trieb hingegen wirkt nie wie eine *momentane Stoßkraft*, sondern immer wie eine *konstante* Kraft. Da er nicht von außen, sondern vom Körperinnern her angreift, kann auch keine Flucht gegen ihn nützen. Wir heißen den Triebreiz besser »Bedürfnis«; was dieses Bedürfnis aufhebt, ist die »Befriedigung«. Sie kann nur durch eine zielgerechte (adäquate) Veränderung der inneren Reizquelle gewonnen werden.

Stellen wir uns auf den Standpunkt eines fast völlig hilflosen, in der Welt noch unorientierten Lebewesens, welches Reize in seiner Nervensubstanz auffängt. Dies Wesen wird sehr bald in die Lage kommen, eine erste Unterscheidung zu machen und eine erste Orientierung zu gewinnen. Es wird einerseits Reize verspüren, denen es sich durch eine Muskelaktion (Flucht) entziehen kann, diese Reize rechnet es zu einer Außenwelt; anderseits aber auch noch Reize, gegen welche eine solche Aktion nutzlos bleibt, die trotzdem ihren konstant drängenden Charakter

mas é o caso, no entanto, quando há um ressecamento da mucosa da faringe ou a irritação da mucosa do estômago.[i]

Obtivemos agora, portanto, material para a diferenciação entre o estímulo pulsional e o outro estímulo (fisiológico) que atua sobre o anímico.[7] Em primeiro lugar: o estímulo pulsional não advém do mundo exterior, mas do interior do próprio organismo. Por isso, ele atua de modo diferente sobre o anímico e requer outras ações para sua eliminação. Além disso, toda a essência do estímulo está na suposição de que ele atua como um impacto único, podendo, então, ser também neutralizado através de uma única ação adequada, cujo modelo estaria na fuga motora em face da fonte estimuladora. Certamente, esses impactos podem se repetir e se somar, mas isso em nada altera a concepção do processo e as condições para a suspensão[8] do estímulo. A pulsão, por sua vez, jamais atua como uma *força momentânea de impacto*, mas sempre como uma força *constante*. Como ela não ataca de fora, mas do interior do corpo, nenhuma fuga é eficaz contra ela. Uma denominação melhor para o estímulo pulsional seria "necessidade",[9] e para o que suspende essa necessidade, "satisfação".[10] Ela pode ser alcançada somente através de uma modificação adequada da fonte interna de estímulos.

Coloquemo-nos na posição de um ser vivo quase totalmente desamparado, ainda desorientado no mundo, e que recebe estímulos sobre sua substância nervosa. Esse ser logo estará em condições de estabelecer uma primeira diferenciação e adquirir uma primeira orientação. Por um lado, ele passará a perceber estímulos dos quais é capaz de se afastar através de uma ação muscular (fuga), sendo tais estímulos relativos ao mundo externo; por outro lado, porém, perceberá também estímulos contra os quais tal ação é inútil, que, apesar disso, mantêm seu caráter de constante

behalten; diese Reize sind das Kennzeichen einer Innenwelt, der Beweis für Triebbedürfnisse. Die wahrnehmende Substanz des Lebewesens wird so an der Wirksamkeit ihrer Muskeltätigkeit einen Anhaltspunkt gewonnen haben, um ein »außen« von einem »innen« zu scheiden.

Wir finden also das Wesen des Triebes zunächst in seinen Hauptcharakteren, der Herkunft von Reizquellen im Innern des Organismus, dem Auftreten als konstante Kraft, und leiten davon eines seiner weiteren Merkmale, seine Unbezwingbarkeit durch Fluchtaktionen ab. Während dieser Erörterungen musste uns aber etwas auffallen, was uns ein weiteres Eingeständnis abnötigt. Wir bringen nicht nur gewisse Konventionen als Grundbegriffe an unser Erfahrungsmaterial heran, sondern bedienen uns auch mancher komplizierter *Voraussetzungen*, um uns bei der Bearbeitung der psychologischen Erscheinungswelt leiten zu lassen. Die wichtigste dieser Voraussetzungen haben wir bereits angeführt; es erübrigt uns nur noch, sie ausdrücklich hervorzuheben. Sie ist *biologischer* Natur, arbeitet mit dem Begriff der Tendenz (eventuell der Zweckmäßigkeit) und lautet: Das Nervensystem ist ein Apparat, dem die Funktion erteilt ist, die anlangenden Reize wieder zu beseitigen, auf möglichst niedriges Niveau herabzusetzen, oder der, wenn es nur möglich wäre, sich überhaupt reizlos erhalten wollte. Nehmen wir an der Unbestimmtheit dieser Idee vorläufig keinen Anstoß und geben wir dem Nervensystem die Aufgabe – allgemein gesprochen: der *Reizbewältigung*. Wir sehen dann, wie sehr die Einführung der Triebe das einfache physiologische Reflexschema kompliziert. Die äußeren Reize stellen nur die eine Aufgabe, sich ihnen zu entziehen, dies geschieht dann durch Muskelbewegungen, von denen endlich eine das Ziel erreicht und dann als die zweckmäßige zur erblichen Disposition wird. Die im

premência,[11] sendo tais estímulos a marca característica de um mundo interior, a evidência de necessidades pulsionais. A substância perceptiva desse ser vivo terá adquirido, assim, na eficácia da atividade muscular, um ponto de referência para distinguir um "fora" de um "dentro".

Logo, encontramos primeiramente a essência da pulsão em suas principais características, ou seja, sua origem em fontes estimuladoras no interior do organismo e sua ocorrência como força constante, o que nos conduz a outro de seus traços distintivos: sua inexpugnabilidade pelas ações de fuga. Mas ao longo dessas discussões não pudemos deixar de perceber algo que requer de nós uma nova admissão. Nós não somente aplicamos ao nosso material experiencial certas convenções, na forma de conceitos fundamentais, mas também nos servimos de certos *pressupostos* complexos, para que possamos nos guiar no trabalho com o mundo dos fenômenos psicológicos. O mais importante desses pressupostos já foi colocado, e só nos resta agora destacá-lo de modo explícito. Ele é de natureza *biológica*, trabalha com a noção de tendência (eventualmente, de finalidade) e sustenta que o sistema nervoso é um aparelho cuja função é a de afastar os estímulos que o atingem, reduzi-los ao mais baixo nível ou, se fosse possível, manter-se completamente livre de qualquer estímulo. Sem nos surpreendermos com a imprecisão dessa ideia, atribuamos de modo geral ao sistema nervoso a seguinte tarefa: *o domínio dos estímulos*.[12] Vemos, então, o quanto a introdução das pulsões torna complexo o simples esquema reflexo fisiológico. Os estímulos externos impõem apenas uma tarefa: a de subtrair-se deles; o que ocorre pelos movimentos musculares, dos quais um alcança sua meta e, sendo o apropriado, torna-se uma disposição hereditária. Os estímulos pulsionais que surgem no interior

Innern des Organismus entstehenden Triebreize sind durch diesen Mechanismus nicht zu erledigen. Sie stellen also weit höhere Anforderungen an das Nervensystem, veranlassen es zu verwickelten, ineinander greifenden Tätigkeiten, welche die Außenwelt so weit verändern, dass sie der inneren Reizquelle die Befriedigung bietet, und nötigen es vor allem, auf seine ideale Absicht der Reizfernhaltung zu verzichten, da sie eine unvermeidliche kontinuierliche Reizzufuhr unterhalten. Wir dürfen also wohl schließen, dass sie, die Triebe, und nicht die äußeren Reize, die eigentlichen Motoren der Fortschritte sind, welche das so unendlich leistungsfähige Nervensystem auf seine gegenwärtige Entwicklungshöhe gebracht haben. Natürlich steht nichts der Annahme im Wege, dass die Triebe selbst, wenigstens zum Teil, Niederschläge äußerer Reizwirkungen sind, welche im Laufe der Phylogenese auf die lebende Substanz verändernd einwirkten.

Wenn wir dann finden, dass die Tätigkeit auch der höchstentwickelten Seelenapparate dem *Lustprinzip* unterliegt, d.h. durch Empfindungen der Lust-Unlustreihe automatisch reguliert wird, so können wir die weitere Voraussetzung schwerlich abweisen, dass diese Empfindungen die Art, wie die Reizbewältigung vor sich geht, wiedergeben. Sicherlich in dem Sinne, dass die Unlustempfindung mit Steigerung, die Lustempfindung mit Herabsetzung des Reizes zu tun hat. Die weitgehende Unbestimmtheit dieser Annahme wollen wir aber sorgfältig festhalten, bis es uns etwa gelingt, die Art der Beziehung zwischen Lust-Unlust und den Schwankungen der auf das Seelenleben wirkenden Reizgrößen zu erraten. Es sind gewiss sehr mannigfache und nicht sehr einfache solcher Beziehungen möglich. Wenden wir uns nun von der biologischen Seite her der Betrachtung des Seelenlebens zu, so erscheint uns der »Trieb« als ein Grenzbegriff zwischen Seelischem und Somatischem,

do organismo não podem ser desfeitos por esse mecanismo. Eles colocam, portanto, exigências muito mais elevadas ao sistema nervoso, induzem-no a atividades complicadas e intricadas entre si, as quais modificam sobremaneira o mundo externo, que oferece a satisfação à fonte interna estimuladora, e, sobretudo, obrigam o sistema nervoso a abdicar de sua intenção ideal de conservar afastados os estímulos distantes, pois mantêm um inevitável e contínuo afluxo de estímulos. Poderíamos concluir, pois, que são as pulsões, e não os estímulos externos, os verdadeiros motores dos progressos que conduziram o sistema nervoso, com sua infindável capacidade de realização, ao seu tão elevado patamar atual de desenvolvimento. Certamente, nada nos impede de supor que as pulsões mesmas sejam, ao menos em parte, precipitados[13] dos efeitos de estímulos externos que, no decurso da filogênese, atuaram de forma transformadora sobre a substância viva.

Se julgarmos que mesmo a atividade do aparelho anímico mais altamente evoluído está sujeita ao *princípio de prazer*, quer dizer, que é regulada automaticamente por sensações da série prazer–desprazer, então dificilmente poderemos negar a pressuposição posterior, a de que essas sensações reproduzem o modo como o domínio dos estímulos acontece. Isso, por certo, no sentido de que a sensação de desprazer tem a ver com o aumento, e a sensação de prazer, com a diminuição do estímulo. Mas preservemos cuidadosamente a considerável indeterminação dessa hipótese até que, de certa forma, nos seja possível intuir o modo como se relacionam prazer–desprazer com as oscilações nas grandezas dos estímulos que atuam sobre a vida anímica. Por certo, são possíveis relações muito variadas e nada simples.

Voltando-nos agora do lado biológico à observação a partir da vida anímica, então nos aparece a "pulsão" como

als psychischer Repräsentant der aus dem Körperinnern stammenden, in die Seele gelangenden Reize, als ein Maß der Arbeitsanforderung, die dem Seelischen infolge seines Zusammenhanges mit dem Körperlichen auferlegt ist.

Wir können nun einige Termini diskutieren, welche im Zusammenhang mit dem Begriffe Trieb gebraucht werden, wie: Drang, Ziel, Objekt, Quelle des Triebes.

Unter dem *Drange* eines Triebes versteht man dessen motorisches Moment, die Summe von Kraft oder das Maß von Arbeitsanforderung, das er repräsentiert. Der Charakter des Drängenden ist eine allgemeine Eigenschaft der Triebe, ja das Wesen derselben. Jeder Trieb ist ein Stück Aktivität; wenn man lässigerweise von passiven Trieben spricht, kann man nichts anderes meinen als Triebe mit passivem Ziele.

Das *Ziel* eines Triebes ist allemal die Befriedigung, die nur durch Aufhebung des Reizzustandes an der Triebquelle erreicht werden kann. Aber wenn auch dies Endziel für jeden Trieb unveränderlich bleibt, so können doch verschiedene Wege zum gleichen Endziel führen, so dass sich mannigfache nähere oder intermediäre Ziele für einen Trieb ergeben können, die miteinander kombiniert oder gegeneinander vertauscht werden. Die Erfahrung gestattet uns auch, von »*zielgehemmten*« Trieben zu sprechen bei Vorgängen, die ein Stück weit in der Richtung der Triebbefriedigung zugelassen werden, dann aber eine Hemmung oder Ablenkung erfahren. Es ist anzunehmen, dass auch mit solchen Vorgängen eine partielle Befriedigung verbunden ist.

Das *Objekt* des Triebes ist dasjenige, an welchem oder durch welches der Trieb sein Ziel erreichen kann. Es ist das variabelste am Triebe, nicht ursprünglich mit ihm verknüpft, sondern ihm nur infolge seiner Eignung zur Ermöglichung der Befriedigung zugeordnet. Es ist nicht

um conceito fronteiriço[14] entre o anímico e o somático, como representante psíquico dos estímulos oriundos do interior do corpo que alcançam a alma, como uma medida da exigência de trabalho imposta ao anímico em decorrência de sua relação com o corporal.

Podemos, então, discutir alguns termos que são utilizados em correlação com o conceito de pulsão, a saber: pressão, meta, objeto e fonte da pulsão.

Por *pressão*[15] de uma pulsão entende-se seu fator motor, a soma de força ou a medida da exigência de trabalho que ela representa. O caráter impelente é uma característica geral da pulsão, sua própria essência. Toda pulsão é uma parcela de atividade; quando se fala de modo descuidado de pulsões passivas, essas nada mais seriam que pulsões com uma meta passiva.

A *meta*[16] de uma pulsão é sempre a satisfação, que só pode ser alcançada pela suspensão do estado de estimulação junto à fonte pulsional. Mas, mesmo que essa meta final permaneça inalterada para todas as pulsões, diferentes caminhos podem conduzir a essa mesma meta final, de modo que podem existir para uma mesma pulsão diversas metas aproximadas ou intermediárias, as quais podem ser combinadas ou substituídas umas por outras. A experiência também nos permite falar de pulsões *"inibidas em sua meta"* em processos que são tolerados durante uma parcela de seu caminho rumo à satisfação pulsional, mas que depois experimentam uma inibição ou desvio. Pode-se supor que mesmo a esses processos esteja ligada uma satisfação parcial.

O *objeto*[17] de uma pulsão é aquele junto ao qual, ou através do qual, a pulsão pode alcançar sua meta. É o que há de mais variável na pulsão, não estando originariamente a ela vinculado, sendo apenas a ela atribuído

notwendig ein fremder Gegenstand, sondern ebensowohl ein Teil des eigenen Körpers. Es kann im Laufe der Lebensschicksale des Triebes beliebig oft gewechselt werden; dieser Verschiebung des Triebes fallen die bedeutsamsten Rollen zu. Es kann der Fall vorkommen, dass dasselbe Objekt gleichzeitig mehreren Trieben zur Befriedigung dient, nach Alfred Adler der Fall der *Triebverschränkung*. Eine besonders innige Bindung des Triebes an das Objekt wird als *Fixierung* desselben hervorgehoben. Sie vollzieht sich oft in sehr frühen Perioden der Triebentwicklung und macht der Beweglichkeit des Triebes ein Ende, indem sie der Lösung intensiv widerstrebt.

Unter der *Quelle* des Triebes versteht man jenen somatischen Vorgang in einem Organ oder Körperteil, dessen Reiz im Seelenleben durch den Trieb repräsentiert ist. Es ist unbekannt, ob dieser Vorgang regelmäßig chemischer Natur ist oder auch der Entbindung anderer, z.B. mechanischer Kräfte entsprechen kann. Das Studium der Triebquellen gehört der Psychologie nicht mehr an; obwohl die Herkunft aus der somatischen Quelle das schlechtweg Entscheidende für den Trieb ist, wird er uns im Seelenleben doch nicht anders als durch seine Ziele bekannt. Die genauere Erkenntnis der Triebquellen ist für die Zwecke der psychologischen Forschung nicht durchwegs erforderlich. Manchmal ist der Rückschluss aus den Zielen des Triebes auf dessen Quellen gesichert.

Soll man annehmen, dass die verschiedenen aus dem Körperlichen stammenden, auf das Seelische wirkenden Triebe auch durch verschiedene Qualitäten ausgezeichnet sind und darum in qualitativ verschiedener Art sich im Seelenleben benehmen? Es scheint nicht gerechtfertigt; man reicht vielmeht mit der einfacheren Annahme aus, dass die Triebe alle qualitativ gleichartig sind und ihre

por sua capacidade de tornar possível a satisfação. Não é necessariamente um objeto material[18] estranho ao sujeito, podendo ser até mesmo uma parte do próprio corpo. Pode ser substituído incontáveis vezes no decurso dos destinos vividos pela pulsão, sendo a tal deslocamento da pulsão atribuídos os mais significativos papéis. Pode ocorrer o caso em que um mesmo objeto simultaneamente sirva para a satisfação de diferentes pulsões, segundo Alfred Adler, o caso do *entrecruzamento pulsional*. Uma ligação especialmente estreita da pulsão com o objeto é salientada como sua *fixação*. Ela se dá com frequência em períodos muito remotos do desenvolvimento pulsional e põe fim à mobilidade da pulsão ao se opor intensamente à dissolução da ligação ao objeto.

Por *fonte* da pulsão entende-se o processo somático em um órgão ou parte do corpo, cujo estímulo é representado na vida anímica pela pulsão. Não se sabe se esse processo é regularmente de natureza química ou se também pode corresponder à liberação de outras forças, por exemplo, mecânicas. O estudo das fontes pulsionais já não pertence à Psicologia; ainda que a origem em uma fonte somática seja o elemento mais decisivo para a pulsão, só a conhecemos na vida anímica por causa de suas metas. O conhecimento mais específico das fontes pulsionais não é estritamente necessário para a investigação psicológica. Por vezes, as fontes da pulsão podem ser inferidas, de modo retrospectivo, a partir de suas metas.

Devemos supor quanto às diferentes pulsões, que se originam no corporal e atuam no anímico, que elas se caracterizam também por diferentes qualidades e por isso se comportam de modo qualitativamente diferenciado na vida anímica? Tal noção não parece se justificar, bastando apenas a mais simples suposição de que todas

Wirkung nur den Erregungsgrößen, die sie führen, verdanken, vielleicht noch gewissen Funktionen dieser Quantität. Was die psychischen Leistungen der einzelnen Triebe voneinander unterscheidet, lässt sich auf die Verschiedenheit der Triebquellen zurückführen. Es kann allerdings erst in einem späteren Zusammenhange klargelegt werden, was das Problem der Triebqualität bedeutet.

Welche Triebe darf man aufstellen und wie viele? Dabei ist offenbar der Willkür ein weiter Spielraum gelassen. Man kann nichts dagegen einwenden, wenn jemand den Begriff eines Spieltriebes, Destruktionstriebes, Geselligkeitstriebes in Anwendung bringt, wo der Gegenstand es fordert und die Beschränkung der psychologischen Analyse es zulässt. Man sollte aber die Frage nicht außer Acht lassen, ob diese einerseits so sehr spezialisierten Triebmotive nicht eine weitere Zerlegung in der Richtung nach den Triebquellen gestatten, so dass nur die weiter nicht zerlegbaren Urtriebe eine Bedeutung beanspruchen können.

Ich habe vorgeschlagen, von solchen Urtrieben zwei Gruppen zu unterscheiden, die der *Ich-* oder *Selbsterhaltungstriebe* und die der *Sexualtriebe*. Dieser Aufstellung kommt aber nicht die Bedeutung einer notwendigen Voraussetzung zu, wie z.B. der Annahme über die biologische Tendenz des seelischen Apparates (s.o.); sie ist eine bloße Hilfskonstruktion, die nicht länger festgehalten werden soll, als sie sich nützlich erweist, und deren Ersetzung durch eine andere an den Ergebnissen unserer beschreibenden und ordnenden Arbeit wenig ändern wird. Der Anlass zu dieser Aufstellung hat sich aus der Entwicklungsgeschichte der Psychoanalyse ergeben, welche die Psychoneurosen, und zwar die als »Übertragungsneurosen« zu bezeichnende Gruppe derselben (Hysterie und Zwangsneurose) zum ersten Objekt nahm und an ihnen zur Einsicht gelangte,

as pulsões são qualitativamente da mesma ordem e de que devem seu efeito apenas às magnitudes de excitação que cada uma veicula, talvez ainda a certas funções dessa quantidade. O que diferencia as realizações[19] psíquicas das pulsões entre si pode estar relacionado à diversidade das fontes pulsionais. Contudo, só num contexto posterior poderá ser esclarecido o que significa o problema da qualidade pulsional.

Quais pulsões se podem designar e quantas elas seriam? Certamente, isso deixa muita margem ao arbitrário. Nada se pode objetar se alguém lança mão do conceito de uma pulsão de jogo, pulsão de destruição, pulsão de sociabilidade, se a temática assim o demandar e se as limitações da análise psicológica assim o permitirem. Entretanto, não se deveria descuidar da seguinte questão: a de se esses motivos[20] pulsionais, por um lado tão especializados, não admitiriam uma decomposição adicional em relação às fontes pulsionais, de tal modo que apenas as pulsões primordiais[21] e não suscetíveis à decomposição poderiam reivindicar uma importância significativa.

Sugeri diferenciar dois grupos de tais pulsões primordiais: as *pulsões do Eu*,[22] ou *de autopreservação*, e as *pulsões sexuais*. Mas essa classificação não tem o significado de um pressuposto necessário, como, por exemplo, a premissa da tendência biológica do aparelho psíquico (ver acima); trata-se de uma mera construção auxiliar, que só deve ser mantida enquanto for útil e cuja substituição por outra pouco alterará os resultados de nosso trabalho de descrição e de ordenação. Tal classificação resultou do desenvolvimento histórico da Psicanálise, que tomou por objeto primeiro as psiconeuroses, ou, mais precisamente, aquelas designadas como "neuroses de transferência" (histeria e neurose obsessiva), e, através

dass ein Konflikt zwischen den Ansprüchen der Sexualität und denen des Ichs an der Wurzel jeder solchen Affektion zu finden sei. Es ist immerhin möglich, dass ein eindringendes Studium der anderen neurotischen Affektionen (vor allem der narzisstischen Psychoneurosen: der Schizophrenien) zu einer Abänderung dieser Formel und somit zu einer anderen Gruppierung der Urtriebe nötigen wird. Aber gegenwärtig kennen wir diese neue Formel nicht und haben auch noch kein Argument gefunden, welches der Gegenüberstellung von Ich- und Sexualtrieben ungünstig wäre.

Es ist mir überhaupt zweifelhaft, ob es möglich sein wird, auf Grund der Bearbeitung des psychologischen Materials entscheidende Winke zur Scheidung und Klassifizierung der Triebe zu gewinnen. Es erscheint vielmehr notwendig, zum Zwecke dieser Bearbeitung bestimmte Annahmen über das Triebleben an das Material heranzubringen, und es wäre wünschenswert, dass man diese Annahmen einem anderen Gebiete entnehmen könnte, um sie auf die Psychologie zu übertragen. Was die Biologie hierfür leistet, läuft der Sonderung von Ich- und Sexualtrieben gewiss nicht zuwider. Die Biologie lehrt, dass die Sexualität nicht gleichzustellen ist den anderen Funktionen des Individuums, da ihre Tendenzen über das Individuum hinausgehen und die Produktion neuer Individuen, also die Erhaltung der Art, zum Inhalt haben. Sie zeigt uns ferner, dass zwei Auffassungen des Verhältnisses zwischen Ich und Sexualität wie gleichberechtigt nebeneinander stehen, die eine, nach welcher das Individuum die Hauptsache ist und die Sexualität als eine seiner Betätigungen, die Sexualbefriedigung als eines seiner Bedürfnisse wertet, und eine andere, derzufolge das Individuum ein zeitweiliger und vergänglicher Anhang an das quasi unsterbliche Keimplasma ist, welches ihm von der Generation anvertraut wurde. Die Annahme, dass sich die Sexualfunktion durch einen

delas, chegou à compreensão[23] de que um conflito entre as exigências da sexualidade e as do Eu estava na raiz de todas aquelas afecções. Porém, é possível que um estudo exaustivo das outras afecções neuróticas (sobretudo das psiconeuroses narcísicas: das esquizofrenias) nos exija a alteração dessa fórmula e com isso nos leve a outro agrupamento das pulsões primordiais. Atualmente, contudo, não conhecemos essa nova fórmula, e não encontramos nenhum argumento que invalidasse a contraposição das pulsões do Eu às pulsões sexuais.

Tenho sérias dúvidas quanto a se será possível obter indícios decisivos para a divisão e a classificação das pulsões a partir da elaboração do material psicológico. Objetivando-se tal elaboração, parece muito mais necessário aplicar ao material determinadas suposições sobre a vida pulsional, e seria desejável que pudéssemos retirar tais suposições de outro campo, para então transferi-las à Psicologia. Do que nos aporta a Biologia, nada contraria a distinção entre pulsões do Eu e pulsões sexuais. A Biologia ensina que a sexualidade não se equipara a outras funções do indivíduo, já que suas tendências estão acima do individual e têm por conteúdo a produção de novos indivíduos, logo, a preservação da espécie. Ela nos mostra, ademais, que há duas concepções coexistindo justificadamente a respeito da relação entre o Eu e a sexualidade: uma, segundo a qual o indivíduo é o elemento principal, sendo a sexualidade valorizada como uma de suas atividades e a satisfação sexual como uma de suas necessidades, e outra para a qual o indivíduo é um apêndice temporário e evanescente de um plasma germinativo quase imortal, que lhe foi confiado pela transmissão geracional. A suposição de que a função sexual se diferencia dos demais processos corporais através

besonderen Chemismus von den anderen Körpervorgängen scheidet, bildet, soviel ich weiß, auch eine Voraussetzung der Ehrlichschen biologischen Forschung.

Da das Studium des Trieblebens vom Bewusstsein her kaum übersteigbare Schwierigkeiten bietet, bleibt die psychoanalytische Erforschung der Seelenstörungen die Hauptquelle unserer Kenntnis. Ihrem Entwicklungsgang entsprechend hat uns aber die Psychoanalyse bisher nur über die Sexualtriebe einigermaßen befriedigende Auskünfte bringen können, weil sie gerade nur diese Triebgruppe an den Psychoneurosen wie isoliert beobachten konnte. Mit der Ausdehnung der Psychoanalyse auf die anderen neurotischen Affektionen wird gewiss auch unsere Kenntnis der Ichtriebe begründet werden, obwohl es vermessen erscheint, auf diesem weiteren Forschungsgebiete ähnlich günstige Bedingungen für die Beobachtung zu erwarten.

Zu einer allgemeinen Charakteristik der Sexualtriebe kann man folgendes aussagen: Sie sind zahlreich, entstammen vielfältigen organischen Quellen, betätigen sich zunächst unabhängig voneinander und werden erst spät zu einer mehr oder minder vollkommenen Synthese zusammengefasst. Das Ziel, das jeder von ihnen anstrebt, ist die Erreichung der *Organlust*; erst nach vollzogener Synthese treten sie in den Dienst der *Fortpflanzungsfunktion*, womit sie dann als Sexualtriebe allgemein kenntlich werden. Bei ihrem ersten Auftreten lehnen sie sich zuerst an die Erhaltungstriebe an, von denen sie sich erst allmählich ablösen, folgen auch bei der Objektfindung den Wegen, die ihnen die Ichtriebe weisen. Ein Anteil von ihnen bleibt den Ichtrieben zeitlebens gesellt und stattet diese mit *libidinösen* Komponenten aus, welche während der formalen Funktion leicht übersehen und erst durch die Erkrankung klargelegt werden. Sie sind dadurch ausgezeichnet, dass sie in großem Ausmaße

de um quimismo especial, até onde sei, constitui também uma premissa da pesquisa biológica de Ehrlich.[24]

Como o estudo da vida pulsional a partir da consciência apresenta dificuldades praticamente insuperáveis, a investigação psicanalítica dos distúrbios anímicos continua sendo a principal fonte de nosso conhecimento. Mas, de acordo com o seu curso de desenvolvimento, a Psicanálise apenas nos pôde dar, até o presente momento, dados parcialmente satisfatórios acerca das pulsões sexuais, pois nas psiconeuroses, como se ali ocorressem de forma isolada, só esse grupo de pulsões pôde ser estudado. Com a extensão da Psicanálise às outras afecções neuróticas, nosso conhecimento sobre as pulsões do Eu certamente também ganhará em fundamentos, ainda que pareça temerário esperar que esse novo campo de pesquisas ofereça condições de observação igualmente favoráveis.

Para uma classificação geral das pulsões sexuais pode-se dizer o seguinte: são numerosas, advêm de múltiplas fontes orgânicas, agem inicialmente de forma independente umas das outras e só depois se reúnem em uma síntese mais ou menos acabada. A meta a que cada uma delas aspira é a obtenção do *prazer do órgão*; somente após terem completado a síntese é que se põem a serviço da *função reprodutiva*, pela qual se tornam geralmente reconhecíveis como pulsões sexuais. Em sua primeira manifestação, apoiam-se inicialmente nas pulsões de conservação, das quais apenas aos poucos se desligam, e seguem também na busca do objeto os caminhos indicados pelas pulsões do Eu. Uma parte delas segue por toda a vida associada às pulsões do Eu, dotando-os com componentes *libidinais*, que passam facilmente ignorados durante o funcionamento normal, surgindo de modo claro apenas a partir do adoecimento. Caracterizam-se, em grande medida, por poderem se

vikariierend füreinander eintreten und leicht ihre Objekte wechseln können. Infolge der letztgenannten Eigenschaften sind sie zu Leistungen befähigt, die weitab von ihren ursprünglichen Zielhandlungen liegen. (Sublimierung.)

Die Untersuchung, welche Schicksale Triebe im Laufe der Entwicklung und des Lebens erfahren können, werden wir auf die uns besser bekannten Sexualtriebe einschränken müssen. Die Beobachtung lehrt uns als solche Triebschicksale folgende kennen:

Die Verkehrung ins Gegenteil.
Die Wendung gegen die eigene Person.
Die Verdrängung.
Die Sublimierung.

Da ich die Sublimierung hier nicht zu behandeln gedenke, die Verdrängung aber ein besonderes Kapitel beansprucht, erübrigt uns nur Beschreibung und Diskussion der beiden ersten Punkte. Mit Rücksicht auf Motive, welche einer direkten Fortsetzung der Triebe entgegenwirken, kann man die Triebschicksale auch als Arten der *Abwehr* gegen die Triebe darstellen.

Die *Verkehrung ins Gegenteil* löst sich bei näherem Zusehen in zwei verschiedene Vorgänge auf, in die Wendung eines Triebes von der *Aktivität zur Passivität* und in die *inhaltliche Verkehrung*. Beide Vorgänge sind, weil wesensverschieden, auch gesondert zu behandeln.

Beispiele für den ersteren Vorgang ergeben die Gegensatzpaare Sadismus – Masochismus und Schaulust – Exhibition. Die Verkehrung betrifft nur die Ziele des Triebes; für das aktive Ziel: quälen, beschauen, wird das passive: gequält werden, beschaut werden eingesetzt. Die inhaltliche Verkehrung findet sich in dem einen Falle der Verwandlung des Liebens in ein Hassen.

substituir vicariamente umas pelas outras e por poderem trocar facilmente seus objetos. Devido a tais atributos, são capazes de realizações muito distantes das ações originais, orientadas a determinadas metas. (Sublimação.)

A investigação sobre quais destinos as pulsões podem experienciar ao longo do desenvolvimento e da vida terá que ser por nós restrita às pulsões sexuais que conhecemos melhor. A observação nos ensina serem os seguintes os destinos da pulsão:

A reversão em seu contrário.
O retorno em direção à própria pessoa.
O recalque.
A sublimação.

Como não cogitei tratar aqui da sublimação e como o recalque demanda um capítulo[25] especial, resta-nos somente a descrição e a discussão dos dois primeiros pontos. Levando-se em consideração as forças moventes que operam contrapondo-se à sequência de seu fluxo direto, pode-se também descrever os destinos pulsionais como espécies de *defesa* contra as pulsões.

A *reversão em seu oposto*, se observada com maior atenção, desdobra-se em dois processos diferentes: a passagem de uma pulsão da *atividade para a passividade* e a *inversão de conteúdo*. Como são processos essencialmente diversos, também devem ser tratados em separado.

Exemplos do primeiro processo são dados pelos pares de opostos sadismo–masoquismo e voyeurismo[26]–exibicionismo. A reversão diz respeito apenas às metas da pulsão; sua meta ativa: atormentar, contemplar, é substituída pela passiva: ser atormentado, ser contemplado. A inversão de conteúdo pode ser encontrada no caso único da transformação do amar em um odiar.

Die *Wendung gegen die eigene Person* wird uns durch die Erwägung nahegelegt, dass der Masochismus ja ein gegen das eigene Ich gewendeter Sadismus ist, die Exhibition das Beschauen des eigenen Körpers mit einschließt. Die analytische Beobachtung lässt auch keinen Zweifel daran bestehen, dass der Masochist das Wüten gegen seine Person, der Exhibitionist das Entblößen derselben mitgenießt. Das Wesentliche an dem Vorgang ist also der Wechsel des Objektes bei ungeändertem Ziel.

Es kann uns indes nicht entgehen, dass Wendung gegen die eigene Person und Wendung von der Aktivität zur Passivität in diesen Beispielen zusammentreffen oder zusammenfallen. Zur Klarstellung der Beziehungen wird eine gründlichere Untersuchung unerlässlich.

Beim Gegensatzpaar Sadismus – Masochismus kann man den Vorgang folgendermaßen darstellen:

a) Der Sadismus besteht in Gewalttätigkeit, Macht-betätigung gegen eine andere Person als Objekt.

b) Dieses Objekt wird aufgegeben und durch die eigene Person ersetzt. Mit der Wendung gegen die eigene Person ist auch die Verwandlung des aktiven Triebzieles in ein passives vollzogen.

c) Es wird neuerdings eine fremde Person als Objekt gesucht, welche infolge der eingetretenen Zielver-wandlung die Rolle des Subjekts übernehmen muss.

Fall *c* ist der des gemeinhin so genannten Masochis-mus. Die Befriedigung erfolgt auch bei ihm auf dem Wege des ursprünglichen Sadismus, indem sich das passive Ich phantastisch in seine frühere Stelle versetzt, die jetzt dem fremden Subjekt überlassen ist. Ob es auch eine direkte-re masochistische Befriedigung gibt, ist durchaus zwei-felhaft. Ein ursprünglicher Masochismus, der nicht auf

O *retorno em direção à própria pessoa* se torna compreensível se considerarmos que o masoquismo é um sadismo que se voltou contra o próprio Eu, e que o exibicionismo inclui a contemplação do próprio corpo. A observação analítica não deixa dúvidas quanto ao fato de que o masoquista também frui[27] da fúria contra sua pessoa e de que o exibicionista também frui do próprio desnudamento. O essencial nesse processo é, portanto, a troca do objeto com a invariância da meta.

Com isso, não podemos deixar de notar que, nesses exemplos, convergem ou coincidem o retorno em direção à própria pessoa com a passagem da atividade para a passividade. Para esclarecer esses vínculos, torna-se indispensável uma investigação mais aprofundada.

No caso do par de opostos sadismo–masoquismo, pode-se descrever o processo da seguinte maneira:

a) O sadismo consiste em atividade de violência, dominação sobre outra pessoa como objeto.

b) Tal objeto é abandonado e substituído pela própria pessoa. Com o retorno em direção à própria pessoa, também se realiza a transformação da meta ativa da pulsão em uma meta passiva.

c) Novamente, outra pessoa é procurada como objeto, a qual, em decorrência da transformação da meta ocorrida, terá que assumir o papel de sujeito.

O caso *c* é o que comumente se chama de masoquismo. Nele, a satisfação também ocorre pela via do sadismo original, na medida em que o Eu passivo põe-se, no plano da fantasia, em seu lugar anterior, que agora foi deixado para o outro sujeito. É bastante duvidoso que haja também uma satisfação mais direta no masoquismo. Não parece ocorrer um masoquismo originário que não tenha surgido

die beschriebene Art aus dem Sadismus entstanden wäre, scheint nicht vorzukommen.[ii] Dass die Annahme der Stufe b nicht überflüssig ist, geht wohl aus dem Verhalten des sadistischen Triebes bei der Zwangsneurose hervor. Hier findet sich die Wendung gegen die eigene Person ohne die Passivität gegen eine neue. Die Verwandlung geht nur bis zur Stufe b. Aus der Quälsucht wird Selbstquälerei, Selbstbestrafung, nicht Masochismus. Das aktive Verbum wandelt sich nicht in das Passivum, sondern in ein reflexives Medium.

Die Auffassung des Sadismus wird auch durch den Umstand beeinträchtigt, dass dieser Trieb neben seinem allgemeinen Ziel (vielleicht besser: innerhalb desselben) eine ganz spezielle Zielhandlung anzustreben scheint. Neben der Demütigung, Überwältigung, die Zufügung von Schmerzen. Nun scheint die Psychoanalyse zu zeigen, dass das Schmerzzufügen unter den ursprünglichen Zielhandlungen des Triebes keine Rolle spielt. Das sadistische Kind zieht die Zufügung von Schmerzen nicht in Betracht und beabsichtigt sie nicht. Wenn sich aber einmal die Umwandlung in Masochismus vollzogen hat, eignen sich die Schmerzen sehr wohl, ein passives masochistisches Ziel abzugeben, denn wir haben allen Grund anzunehmen, dass auch die Schmerz- wie andere Unlustempfindungen auf die Sexualerregung übergreifen und einen lustvollen Zustand erzeugen, um dessentwillen man sich auch die Unlust des Schmerzes gefallen lassen kann. Ist das Empfinden von Schmerzen einmal ein masochistisches Ziel geworden, so kann sich rückgreifend auch das sadistische Ziel, Schmerzen zuzufügen, ergeben, die man, während man sie anderen erzeugt, selbst masochistisch in der Identifizierung mit dem leidenden Objekt genießt. Natürlich genießt man in beiden Fällen nicht den Schmerz selbst, sondern die ihn begleitende Sexualerregung, und dies dann als Sadist besonders bequem. Das Schmerzgenießen

do sadismo de acordo com a forma descrita.[ii] A suposição da fase *b* se mostra como não sendo supérflua, quando se leva em consideração o comportamento da pulsão sádica na neurose obsessiva. Aí se encontra o retorno em direção à própria pessoa sem a passividade perante outra. A transformação vai só até a fase *b*. A ânsia em atormentar torna-se autotormento, autopunição, mas não masoquismo. O verbo ativo não passa para a voz passiva, mas para a voz média reflexiva.

A concepção do sadismo é também prejudicada pelo fato de que essa pulsão parece aspirar, junto à sua meta geral (ou melhor: no interior desta), por uma ação dirigida a uma meta bastante específica; além da humilhação e da dominação, infligir dores. Contudo, a Psicanálise parece demonstrar que a ação de infligir dores não desempenha um papel entre as ações dirigidas a metas originais da pulsão. A criança sádica não leva a causação de dores em consideração e não a tem como intenção. Entretanto, quando se completa a transformação do sadismo em masoquismo, as dores se prestam muito bem a uma meta masoquista passiva, pois temos todos os motivos para supor que também as sensações dolorosas, bem como as de desprazer, alcançam a excitação sexual e produzem um estado prazeroso, podendo-se, por isso, aceitar de bom grado o desprazer da dor. Quando a sensação de dor chega a tornar-se uma meta masoquista, pode surgir também, de modo retroativo, a meta sádica de infligir dores; de modo que alguém, ao provocá-las em outrem, frui masoquistamente pela identificação com o objeto que as sofre. Certamente que em ambos os casos não se frui a dor em si, mas sim a excitação sexual que a acompanha, e, para o sádico, de modo especialmente cômodo. A fruição da dor seria, portanto, uma meta originariamente masoquista, a

wäre also ein ursprünglich masochistisches Ziel, das aber nur beim ursprünglich Sadistischen zum Triebziele werden kann.

Der Vollständigkeit zuliebe füge ich an, dass das Mitleid nicht als ein Ergebnis der Triebverwandlung beim Sadismus beschrieben werden kann, sondern die Auffassung einer *Reaktionsbildung* gegen den Trieb (über den Unterschied s. später) erfordert.

Etwas andere und einfachere Ergebnisse liefert die Untersuchung eines anderen Gegensatzpaares, der Triebe, die das Schauen und sich Zeigen zum Ziele haben. (Voyeur und Exhibitionist in der Sprache der Perversionen). Auch hier kann man die nämlichen Stufen aufstellen wie im vorigen Falle:

a) Das Schauen als *Aktivität* gegen ein fremdes Objekt gerichtet;

b) das Aufgeben des Objektes, die Wendung des Schautriebes gegen einen Teil des eigenen Körpers, damit die Verkehrung in Passivität und die Aufstellung des neuen Zieles: beschaut zu werden;

c) die Einsetzung eines neuen Subjektes, dem man sich zeigt, um von ihm beschaut zu werden.

Es ist auch kaum zweifelhaft, dass das aktive Ziel früher auftritt als das passive, das Schauen dem Beschautwerden vorangeht. Aber eine bedeutsame Abweichung vom Falle des Sadismus liegt darin, dass beim Schautrieb eine noch frühere Stufe als die mit a bezeichnete zu erkennen ist. Der Schautrieb ist nämlich zu Anfang seiner Betätigung autoerotisch, er hat wohl ein Objekt, aber er findet es am eigenen Körper. Erst späterhin wird er dazu geleitet (auf dem Wege der Vergleichung), dies Objekt mit einem analogen des fremden Körpers zu vertauschen (Stufe *a*). Diese Vorstufe ist nun dadurch interessant, dass aus ihr die beiden Situationen des resultierenden Gegensatzpaares hervorgehen, je nachdem

qual só pode tornar-se uma meta pulsional em alguém originariamente sádico.

Visando completar o exposto, acrescento que a *compaixão* não pode ser descrita como resultado da transformação da pulsão no contexto do sadismo, mas como algo que exige a compreensão de uma *formação reativa* diante da pulsão (sobre tal diferença, ver adiante).

A investigação de um outro par de opostos nos traz resultados um tanto diferentes e mais simples, a saber, das pulsões que têm como meta o olhar e o mostrar-se (voyeur e exibicionista na linguagem das perversões). Também aqui, podem-se postular as mesmas fases do caso anterior:

a) O olhar como *atividade*, dirigido a um objeto alheio;[28]

b) o abandono do objeto, o retorno da pulsão de olhar para uma parte do próprio corpo, e com isso a reversão para a passividade e a designação da nova meta: ser contemplado;

c) a introdução de um novo sujeito, a quem a pessoa se mostra, no intuito de ser observada por ele.

Também mal se pode duvidar que a meta ativa surja antes da passiva, que o olhar anteceda o ser olhado. Entretanto, uma divergência significativa em relação ao caso do sadismo está no fato de que a pulsão de olhar apresenta uma fase anterior àquela designada por *a*. É que a pulsão de olhar é autoerótica no início de sua atividade, ou seja, ainda que tendo um objeto, ela o encontra no próprio corpo. Só mais tarde ela é conduzida (pela via da comparação) a trocar esse objeto por um que seja análogo no corpo alheio (fase *a*). Essa fase anterior é interessante, pois dela partem as duas situações do par de opostos dela resultante, conforme a troca ocorra em uma ou em outra

der Wechsel an der einen oder anderen Stelle vorgenommen wird. Das Schema für den Schautrieb könnte lauten:

α) Selbst ein Sexualglied beschauen = Sexualglied von eigener Person beschaut werden

↕ ↕

β) Selbst fremdes Objekt beschauen (aktive Schaulust) γ) Eignes Objekt von fremder Person Beschaut werden (Zeigelust, Exhibtion)

Eine solche Vorstufe fehlt dem Sadismus, der sich von vornherein auf ein fremdes Objekt richtet, obwohl es nicht gerade widersinnig wäre, sie aus den Bemühungen des Kindes, das seiner eigenen Glieder Herr werden will, zu konstruieren.

Für beide hier betrachteten Triebbeispiele gilt die Bemerkung, dass die Triebverwandlung durch Verkehrung der Aktivität in Passivität und Wendung gegen die eigene Person eigentlich niemals am ganzen Betrag der Triebregung vorgenommen wird. Die ältere aktive Triebrichtung bleibt in gewissem Ausmaße neben der jüngeren passiven bestehen, auch wenn der Prozess der Triebumwandlung sehr ausgiebig ausgefallen ist. Die einzig richtige Aussage Über den Schautrieb müsste lauten, dass alle Entwicklungsstufen des Triebes, die autoerotische Vorstufe wie die aktive und passive Endgestaltung nebeneinander bestehen bleiben, und diese Behauptung wird evident, wenn man anstatt der Triebhandlungen den Mechanismus der Befriedigung zur Grundlage seines Urteiles nimmt. Vielleicht ist übrigens noch eine andere Auffassungs- und Darlegungsweise gerechtfertigt. Man kann sich jedes Triebleben in einzelne zeitlich geschiedene und innerhalb der

das posições. O esquema para a pulsão de olhar poderia ser o seguinte:

α) contemplar um órgão sexual = o próprio órgão sexual é contemplado

↕ ↕

β) contemplar objeto alheio (prazer ativo de olhar)

γ) o próprio objeto é contemplado por uma outra pessoa (prazer de mostrar/exibicionismo)

Uma tal fase preliminar não ocorre no sadismo, que desde o começo é dirigido a um objeto alheio; entretanto, não seria absurdo deduzi-la por construção[29] a partir dos esforços da criança por se assenhorar de seus próprios membros.

Para ambos os exemplos de pulsões aqui observados vale a consideração de que sua transformação por uma reversão da atividade em passividade e por um retorno em direção à própria pessoa nunca empenha, de fato, todo o montante de moção[30] pulsional. A direção ativa anterior da pulsão continua existindo, em certa medida, ao lado de sua nova direção passiva, mesmo nos casos em que o processo de sua transformação tenha sido muito intenso. A única afirmação correta a ser feita quanto à pulsão de olhar deveria ser a de que todas as fases de seu desenvolvimento, tanto sua fase preliminar autoerótica quanto sua configuração ativa e passiva final, coexistem lado a lado, e tal suposição se torna evidente se tomamos por base não as ações da pulsão, mas o mecanismo para sua satisfação. Talvez, aliás, aqui se justifique ainda uma outra forma de concepção e apresentação. Podemos decompor a vida de cada pulsão em ondas singulares, cronologicamente isoladas, sendo cada uma delas homogênea no interior de

(beliebigen) Zeiteinheit gleichartige Schübe zerlegen, die sich etwa zueinander verhalten wie sukzessive Lavaeruptionen. Dann kann man sich etwa vorstellen, die erste und ursprünglichste Trieberuption setze sich ungeändert fort und erfahre überhaupt keine Entwicklung. Ein nächster Schub unterliege von Anfang an einer Veränderung, etwa der Wendung zur Passivität, und addiere sich nun mit diesem neuen Charakter zum früheren hinzu usw. Überblickt man dann die Triebregung von ihrem Anfang an bis zu einem gewissen Haltepunkt, so muß die beschriebene Sukzession der Schübe das Bild einer bestimmten Entwicklung des Triebes ergeben.

Die Tatsache, dass zu jener späteren Zeit der Entwicklung neben einer Triebregung ihr (passiver) Gegensatz zu beobachten ist, verdient die Hervorhebung durch den trefflichen, von Bleuler eingeführten Namen: *Ambivalenz*.

Die Triebentwicklung wäre unserem Verständnis durch den Hinweis auf die Entwicklungsgeschichte des Triebes und die Permanenz der Zwischenstufen nahe gerückt. Das Ausmaß der nachweisbaren Ambivalenz wechselt erfahrungsgemäß in hohem Grade bei Individuen, Menschengruppen oder Rassen. Eine ausgiebige Triebambivalenz bei einem heute Lebenden kann als archaisches Erbteil aufgefasst werden, da wir Grund zur Annahme haben, der Anteil der unverwandelten aktiven Regungen am Triebleben sei in Urzeiten größer gewesen als durchschnittlich heute.

Wir haben uns daran gewöhnt, die frühe Entwicklungsphase des Ichs, während welcher dessen Sexualtriebe sich autoerotisch befriedigen, *Narzißmus* zu heißen, ohne zunächst die Beziehung zwischen Autoerotismus und Narzißmus in Diskussion zu ziehen. Dann müssen wir von der Vorstufe des Schautriebes, auf der die Schaulust den eigenen

um período de tempo, seja qual for sua duração, e que se comportam entre si de modo comparável a sucessivas erupções de lava. Podemos, então, de certo modo, imaginar que a primeira e mais original erupção pulsional prossiga de forma imutável, sem experimentar nenhum tipo de desenvolvimento. Uma onda posterior experimentaria, desde o início, uma alteração, tal como a passagem para a passividade, juntando-se com esse novo caráter à erupção anterior, e assim por diante. Se olharmos de forma global a moção pulsional, desde seu início até certo ponto, a sucessão de ondas descritas deve nos fornecer a imagem de um claro desenvolvimento da pulsão.

O fato de que nesse período ulterior de desenvolvimento pode se observar, junto a uma moção pulsional, o seu oposto (passivo), merece ser destacado mediante a tão adequada denominação introduzida por Bleuler: *ambivalência*.

O desenvolvimento pulsional se tornaria mais inteligível considerando-se a história de sua evolução e a permanência das fases intermediárias. De acordo com a experiência, a medida de ambivalência demonstrável varia consideravelmente entre indivíduos, grupos humanos e raças. A acentuada ambivalência pulsional em alguém que viva atualmente pode ser considerada uma herança arcaica, pois temos motivos para supor que a parte integrante das moções ativas, em sua forma inalterada na vida pulsional, teria sido maior nos tempos primevos do que é, em média, hoje em dia.

Habituamo-nos a chamar de *narcisismo*, sem antes colocarmos em discussão a relação entre o autoerotismo e o narcisismo, a fase inicial do desenvolvimento do Eu, durante a qual suas pulsões sexuais se satisfazem de modo autoerótico. Temos que dizer, quanto à fase preliminar da pulsão de olhar, na qual o prazer de olhar tem o próprio

Körper zum Objekt hat, sagen, sie gehöre dem Narzissmus an, sei eine narzisstische Bildung. Aus ihr entwickelt sich der aktive Schautrieb, indem er den Narzissmus verlässt, der passive Schautrieb halte aber das narzisstische Objekt fest. Ebenso bedeute die Umwandlung des Sadismus in Masochismus eine Rückkehr zum narzißtischen Objekt, während in beiden Fällen das narzisstische Subjekt durch Identifizierung mit einem anderen fremden Ich vertauscht wird. Mit Rücksichtnahme auf die konstruierte narzisstische Vorstufe des Sadismus nähern wir uns so der allgemeineren Einsicht, dass die Triebschicksale der Wendung gegen das eigene Ich und der Verkehrung von Aktivität in Passivität von der narzisstischen Organisation des Ichs abhängig sind und den Stempel dieser Phase an sich tragen. Sie entsprechen vielleicht den Abwehrversuchen, die auf höheren Stufen der Ichentwicklung mit anderen Mitteln durchgeführt werden.

Wir besinnen uns hier, dass wir bisher nur die zwei Triebgegensatzpaare: Sadismus – Masochismus und Schaulust – Zeigelust in Erörterung gezogen haben. Es sind dies die bestbekannten ambivalent auftretenden Sexualtriebe. Die anderen Komponenten der späteren Sexualfunktion sind der Analyse noch nicht genug zugänglich geworden, um sie in ähnlicher Weise diskutieren zu können. Wir können von ihnen allgemein aussagen, dass sie sich *autoerotisch* betätigen, d.h., ihr Objekt verschwindet gegen das Organ, das ihre Quelle ist, und fällt in der Regel mit diesem zusammen. Das Objekt des Schautriebes, obwohl auch zuerst ein Teil des eigenen Körpers, ist doch nicht das Auge selbst, und beim Sadismus weist die Organquelle, wahrscheinlich die aktionsfähige Muskulatur, direkt auf ein anderes Objekt, sei es auch am eigenen Körper hin. Bei den autoerotischen Trieben ist die Rolle der Organquelle so ausschlaggebend, dass nach einer ansprechenden Vermutung

corpo como objeto, que ela pertence ao narcisismo, que seria uma formação narcísica. Dessa fase se desenvolveria a pulsão ativa de olhar, à medida que se abandona o narcisismo, ainda que a pulsão passiva de olhar conserve o objeto narcísico. Do mesmo modo, a transformação do sadismo em masoquismo significaria um retorno ao objeto narcísico, enquanto em ambos os casos o sujeito narcísico é trocado, através da identificação, por um outro Eu. Se levarmos em consideração a fase narcísica preliminar do sadismo deduzida por construção, nos aproximamos de uma compreensão mais geral, a saber, a de que os destinos da pulsão, o retorno em direção ao próprio Eu e a reversão da atividade em passividade, dependem da organização narcísica do Eu e trazem consigo a marca distintiva dessa fase. Correspondem talvez às tentativas de defesa que em fases mais elevadas do desenvolvimento do Eu são conduzidas por outros meios.

Lembramos que até aqui colocamos em discussão apenas dois pares opostos de pulsões: sadismo–masoquismo e prazer de olhar–prazer de mostrar. São essas as pulsões sexuais que melhor conhecemos entre as que aparecem de maneira ambivalente. Os outros componentes da função sexual posterior ainda não se tornaram suficientemente acessíveis à análise para que se possam discuti-los de forma similar. De modo geral, podemos afirmar que se comportam de maneira *autoerótica*, quer dizer, seu objeto desaparece em face do órgão que é sua fonte e, via de regra, coincide com ele. Mas o objeto da pulsão de olhar, embora, em princípio, seja também parte do próprio corpo, não é propriamente o olho, e, no sadismo, o órgão-fonte, provavelmente a musculatura capacitada para a ação, aponta diretamente para outro objeto, ainda que ele se situe no próprio corpo. Nas pulsões autoeróticas, o papel do órgão-fonte é tão decisivo que, segundo uma pertinente

von P. Federn und L. Jekels[iii] Form und Funktion des Organs über die Aktivität und Passivität des Triebzieles entscheiden.

Die Verwandlung eines Triebes in sein (materielles) Gegenteil wird nur in einem Falle beobachtet, bei der Umsetzung von *Liebe* in *Hass*. Da diese beiden besonders häufig gleichzeitig auf dasselbe Objekt gerichtet vorkommen, ergibt diese Koexistenz auch das bedeutsamste Beispiel einer Gefühlsambivalenz.

Der Fall von Liebe und Haß erwirbt ein besonderes Interesse durch den Umstand, dass er der Einreihung in unsere Darstellung der Triebe widerstrebt. Man kann an der innigsten Beziehung zwischen diesen beiden Gefühlsgegensätzen und dem Sexualleben nicht zweifeln, muss sich aber natürlich dagegen sträuben, das Lieben etwa als einen besonderen Partialtrieb der Sexualität wie die anderen aufzufassen. Man möchte eher das Lieben als den Ausdruck der ganzen Sexualstrebung ansehen, kommt aber auch damit nicht zurecht und weiß nicht, wie man ein materielles Gegenteil dieser Strebung verstehen soll.

Das Lieben ist nicht nur eines, sondern dreier Gegensätze fähig. Außer dem Gegensatz: lieben – hassen gibt es den anderen: lieben – geliebt werden, und überdies setzen sich lieben und hassen zusammengenommen dem Zustande der Indifferenz oder Gleichgültigkeit entgegen. Von diesen drei Gegensätzen entspricht der zweite, der von lieben – geliebt werden, durchaus der Wendung von der Aktivität zur Passivität und lässt auch die nämliche Zurückführung auf eine Grundsituation wie beim Schautrieb zu. Diese heißt: *sich selbst lieben*, was für uns die Charakteristik des Narzissmus ist. Je nachdem nun das Objekt oder das Subjekt gegen ein fremdes vertauscht wird, ergibt sich die aktive Zielstrebung des Liebens oder die passive des Geliebtwerdens, von denen die letztere dem Narzissmus nahe verbleibt.

suposição de P. Federn (1913)[31] e L. Jekels (1913),[iii 32] a forma e a função do órgão determinam a atividade ou a passividade da meta pulsional.

A transformação de uma pulsão em seu oposto (material) é observada apenas em um caso: na *conversão do amor* em *ódio*. Como ambos, com especial frequência, aparecem dirigidos simultaneamente para o mesmo objeto, sua coexistência oferece o exemplo mais significativo de uma ambivalência de sentimentos.

O caso do amor e do ódio adquire um interesse especial, dada a circunstância de não se ajustarem ao nosso enquadramento da apresentação das pulsões. Não se pode duvidar da íntima relação entre esses sentimentos opostos e a vida sexual, mas se deve relutar em conceber o amor como uma espécie de pulsão parcial específica da sexualidade como as outras. Preferiríamos considerar o amar como sendo a expressão de toda aspiração sexual, mas com isso não avançamos muito, nem chegamos a saber como se deve compreender o contrário material dessa aspiração.

O amar admite não apenas uma, mas três formas de oposição. Além da oposição amar–odiar há também outras: amar–ser amado e o amar e o odiar tomados em conjunto, em oposição ao estado de indiferença ou desinteresse. Dentre essas três oposições, a segunda, amar–ser amado, corresponde à conversão da atividade em passividade e pode igualmente remontar a uma situação fundamental, como a pulsão de olhar. Tal situação seria: *amar a si mesmo*, o que para nós caracteriza o narcisismo. Conforme o objeto ou o sujeito sejam trocados por outro, manifesta-se a aspiração da meta ativa do amar ou da meta passiva do ser amado, das quais a segunda se aproxima mais do narcisismo.

Vielleicht kommt man dem Verständnis der mehrfachen Gegenteile des Liebens näher, wenn man sich besinnt, dass das seelische Leben überhaupt von *drei Polaritäten* beherrscht wird, den Gegensätzen von:

Subjekt (Ich) — Objekt (Außenwelt).

Lust — Unlust.

Aktiv — Passiv.

Der Gegensatz von Ich – Nicht-Ich (Außen), (Subjekt – Objekt), wird dem Einzelwesen, wie wir bereits erwähnt haben, frühzeitig aufgedrängt durch die Erfahrung, dass es Außenreize durch seine Muskelaktion zum Schweigen bringen kann, gegen Triebreize aber wehrlos ist. Er bleibt vor allem in der intellektuellen Betätigung souverän und schafft die Grundsituation für die Forschung, die durch kein Bemühen abgeändert werden kann. Die Polarität von Lust – Unlust haftet an einer Empfindungsreihe, deren unübertroffene Bedeutung für die Entscheidung unserer Aktionen (Wille) bereits betont worden ist. Der Gegensatz von Aktiv – Passiv ist nicht mit dem von Ich-Subjekt – Außen-Objekt zu verwechseln. Das Ich verhält sich passiv gegen die Außenwelt, insoweit es Reize von ihr empfängt, aktiv, wenn es auf dieselben reagiert. Zu ganz besonderer *Aktivität* gegen die Außenwelt wird es durch seine Triebe gezwungen, so dass man unter Hervorhebung des Wesentlichen sagen könnte: Das Ich-Subjekt sei passiv gegen die äußeren Reize, aktiv durch seine eigenen Triebe. Der Gegensatz Aktiv – Passiv verschmilzt späterhin mit dem von Männlich – Weiblich, der, ehe dies geschehen ist, keine psychologische Bedeutung hat. Die Verlötung der Aktivität mit der Männlichkeit, der Passivität mit der Weiblichkeit tritt uns nämlich als biologische

Talvez alcancemos uma compreensão mais adequada dos vários contrários do amar se lembrarmos que nossa vida anímica é regida por *três polaridades*, as oposições entre:

Sujeito (Eu) — Objeto (mundo externo).

Prazer — Desprazer.

Ativo — Passivo.

A oposição Eu–Não-Eu (fora), (sujeito–objeto), conforme já mencionamos, impõe-se ao indivíduo desde muito cedo, através da experiência de que ele pode silenciar os estímulos externos por meio de sua ação muscular, mas é indefeso contra os estímulos pulsionais. Tal oposição permanece soberana, principalmente na atividade intelectual, e cria a situação fundamental da investigação, que não pode ser alterada por esforço algum. A polaridade do prazer–desprazer liga-se a uma escala de sensações, cuja insuperável importância na escolha de nossas ações (vontade) já foi anteriormente enfatizada. A oposição ativo–passivo não deve ser confundida com aquela entre Eu-sujeito–objeto-exterior. O Eu se comporta de modo passivo diante do mundo exterior na medida em que recebe estímulos dele, e, de modo ativo, quando reage perante eles. Ele é forçado por suas pulsões a uma *atividade* muito especial perante o mundo exterior, de modo que poderíamos dizer, enfatizando o essencial, o seguinte: o sujeito-Eu seria passivo perante os estímulos exteriores, e ativo por meio de suas próprias pulsões. A oposição ativo–passivo funde-se depois com a oposição masculino–feminino, o que não tem importância psicológica até o momento em que isso ocorre. O amalgamento da atividade com a masculinidade e da passividade com a feminilidade nos

Tatsache entgegen; sie ist aber keineswegs so regelmäßig durchgreifend und ausschließlich, wie wir anzunehmen geneigt sind.

Die drei seelischen Polaritäten gehen die bedeutsamsten Verknüpfungen miteinander ein. Es gibt eine psychische Ursituation, in welcher zwei derselben zusammentreffen. Das Ich findet sich ursprünglich, zu allem Anfang des Seelenlebens, triebbesetzt und zum Teil fähig, seine Triebe an sich selbst zu befriedigen. Wir heißen diesen Zustand den des Narzißmus, die Befriedigungsmöglichkeit die autoerotische.[iv] Die Außenwelt ist derzeit nicht mit Interesse (allgemein gesprochen) besetzt und für die Befriedigung gleichgültig. Es fällt also um diese Zeit das Ich-Subjekt mit dem Lustvollen, die Außenwelt mit dem Gleichgültigen (eventuell als Reizquelle Unlustvollen) zusammen. Definieren wir zunächst das Lieben als die Relation des Ichs zu seinen Lustquellen, so erläutert die Situation, in der es nur sich selbst liebt und gegen die Welt gleichgültig ist, die erste der Gegensatzbeziehungen, in denen wir das »Lieben« gefunden haben.

Das Ich bedarf der Außenwelt nicht, insofern es autoerotisch ist, es bekommt aber Objekte aus ihr infolge der Erlebnisse der Icherhaltungstriebe und kann doch nicht umhin, innere Triebreize als unlustvoll für eine Zeit zu verspüren. Unter der Herrschaft des Lustprinzips vollzieht sich nun in ihm eine weitere Entwicklung. Es nimmt die dargebotenen Objekte, insofern sie Lustquellen sind, in sein Ich auf, introjiziert sich dieselben (nach dem Ausdrucke Ferenczis) und stößt anderseits von sich aus, was ihm im eigenen Innern Unlustanlass wird. (Siehe später den Mechanismus der Projektion.)

Es wandelt sich so aus dem anfänglichen Real-Ich, welches Innen und Außen nach einem guten objektiven

aparece como um fato biológico; entretanto, de modo algum ele é tão regularmente imperioso e exclusivo como estaríamos propensos a presumir.

As três polaridades anímicas estabelecem as mais significativas conexões umas com as outras. Há uma situação psíquica primordial na qual duas delas coincidem. O Eu se encontra originalmente, bem no início da vida anímica, pulsionalmente ocupado,[33] estando, em certa medida, em condições de satisfazer suas pulsões em si mesmo. Denominamos essa condição de narcisismo, e tal possibilidade de obter satisfação, de autoerótica.[iv] Nesse momento, o mundo exterior não está ocupado com interesse (falando de modo geral), sendo indiferente à satisfação. Portanto, nesse momento, o sujeito-Eu coincide com o que é prazeroso, e o mundo externo coincide com o que é indiferente (eventualmente, como fonte estimuladora, com o desprazeroso). Se definirmos em princípio o amar como a relação do Eu com suas fontes de prazer, a situação na qual o Eu ama apenas a si próprio, e é indiferente ao mundo, ilustra a primeira das oposições que encontramos para o "amar".

O Eu, na medida em que é autoerótico, não tem necessidade do mundo exterior, mas recebe dele objetos, devido às vivências das pulsões de autopreservação, e não pode deixar de sentir os estímulos pulsionais internos por certo tempo como desprazerosos. Sob o domínio do princípio de prazer ocorre nele um novo desenvolvimento. Ele toma para si, em seu Eu, os objetos oferecidos, desde que eles sejam fontes de prazer, introjeta-os (de acordo com a expressão de Ferenczi) e, por outro lado, expele o que dentro dele se torna causa de desprazer. (Ver adiante o mecanismo da projeção.)

Ele se transforma, assim, do inicial Eu-real, que diferenciava interior e exterior segundo uma marca distintiva

Kennzeichen unterschieden hat, in ein purifiziertes *Lust-Ich*, welches den Lustcharakter über jeden anderen setzt. Die Außenwelt zerfällt ihm in einen Lustanteil, den es sich einverleibt hat, und einen Rest, der ihm fremd ist. Aus dem eigenen Ich hat es einen Bestandteil ausgesondert, den es in die Außenwelt wirft und als feindlich empfindet. Nach dieser Umordnung ist die Deckung der beiden Polaritäten

Ich–Subjekt — mit Lust

Außenwelt — mit Unlust (von früher her Indifferenz) wieder hergestellt.

Mit dem Eintreten des Objekts in die Stufe des primären Narzissmus erreicht auch der zweite Gegensinn des Liebens, das Hassen, seine Ausbildung.

Das Objekt wird dem Ich, wie wir gehört haben, zuerst von den Selbsterhaltungstrieben aus der Außenwelt gebracht, und es ist nicht abzuweisen, dass auch der ursprüngliche Sinn des Hassens die Relation gegen die fremde und reizzuführende Außenwelt bedeutet. Die Indifferenz ordnet sich dem Hass, der Abneigung, als Spezialfall ein, nachdem sie zuerst als dessen Vorläufer aufgetreten ist. Das Äußere, das Objekt, das Gehasste wären zu allem Anfang identisch. Erweist sich späterhin das Objekt als Lustquelle, so wird es geliebt, aber auch dem Ich einverleibt, so dass für das purifizierte Lust-Ich das Objekt doch wiederum mit dem Fremden und Gehassten zusammenfällt.

Wir merken aber jetzt auch, wie das Gegensatzpaar Liebe – Indifferenz die Polarität Ich – Außenwelt spiegelt, so reproduziert der zweite Gegensatz Liebe – Hass die mit der ersteren verknüpfte Polarität von Lust – Unlust. Nach der Ablösung der rein narzisstischen Stufe durch die Objektstufe bedeuten Lust und Unlust Relationen des Ichs

objetiva, em um *Eu-prazer* purificado, que coloca a marca distintiva do prazer acima de todas as outras. O mundo externo está para ele dividido entre uma parte prazerosa, que incorporou a si, e um resto que lhe é estranho. O Eu extraiu de si uma parte, que projeta no mundo externo e sente como hostil. Após esse rearranjo, é restabelecida a coincidência entre essas duas polaridades:

> Sujeito–Eu — com o prazer
>
> Mundo exterior — com o desprazer (anteriormente com a indiferença)

Com a entrada do objeto na fase do narcisismo primário chega-se à segunda configuração de oposição do amar: o odiar.

Como foi dito,[34] o objeto é levado do mundo externo ao Eu, inicialmente pelas pulsões de autopreservação, e não se pode negar que também o sentido original do odiar indique sua relação com o mundo exterior estranho e portador de estímulos. A indiferença remete ao ódio, à aversão, como um caso especial, após ter surgido, primeiro, como seu precursor. O exterior, o objeto, o odiado seriam, bem no início, idênticos. Se, depois, o objeto se apresenta como fonte de prazer, ele passa a ser amado, mas é também incorporado ao Eu, de modo que, para o Eu-prazer purificado, o objeto coincide novamente com o que é alheio e odiado.

Mas agora percebemos que, tal como o par de opostos amor–indiferença reflete a polaridade Eu–mundo exterior, a segunda oposição, amor–ódio, reproduz a polaridade prazer–desprazer, que se vê ligada à primeira. Após a fase puramente narcisista dar lugar à fase objetal, o prazer e o desprazer significam relações do Eu com o objeto.

zum Objekt. Wenn das Objekt die Quelle von Lustempfindungen wird, so stellt sich eine motorische Tendenz heraus, welche dasselbe dem Ich annähern, ins Ich einverleiben will; wir sprechen dann auch von der »Anziehung«, die das lustspendende Objekt ausübt, und sagen, dass wir das Objekt »lieben«. Umgekehrt, wenn das Objekt Quelle von Unlustempfindungen ist, bestrebt sich eine Tendenz, die Distanz zwischen ihm und dem Ich zu vergrößern, den ursprünglichen Fluchtversuch vor der reizausschickenden Außenwelt an ihm zu wiederholen. Wir empfinden die »Abstoßung« des Objekts und hassen es; dieser Hass kann sich dann zur Aggressionsneigung gegen das Objekt, zur Absicht, es zu vernichten, steigern.

Man könnte zur Not von einem Trieb aussagen, dass er das Objekt »liebt«, nach dem er zu seiner Befriedigung strebt. Dass ein Trieb ein Objekt »hasst«, klingt uns aber befremdend, so dass wir aufmerksam werden, die Beziehungen Liebe und Hass seien nicht für die Relationen der Triebe zu ihren Objekten verwendbar, sondern für die Relation des Gesamt-Ichs zu den Objekten reserviert. Die Beobachtung des gewiss sinnvollen Sprachgebrauches zeigt uns aber eine weitere Einschränkung in der Bedeutung von Liebe und Haß. Von den Objekten, welche der Icherhaltung dienen, sagt man nicht aus, dass man sie liebt, sondern betont, dass man ihrer bedarf, und gibt etwa einem Zusatz von anders artiger Relation Ausdruck, indem man Worte gebraucht, die ein sehr abgeschwächtes Lieben andeuten, wie: gerne haben, gerne sehen, angenehm finden.

Das Wort »lieben« rückt also immer mehr in die Sphäre der reinen Lustbeziehung des Ichs zum Objekt und fixiert sich schließlich an die Sexualobjekte im engeren Sinne und an solche Objekte, welche die Bedürfnisse sublimierter Sexualtriebe befriedigen. Die Scheidung der

Quando o objeto se torna uma fonte de sensações prazerosas, estabelece-se uma tendência motriz que, trazendo-o para mais perto, procura incorporá-lo ao Eu; falamos então da "atração" exercida pelo objeto que proporciona prazer e dizemos, portanto, que "amamos" esse objeto. Inversamente, quando o objeto é uma fonte de sensações desprazerosas, uma tendência se esforça para aumentar a distância entre ele e o Eu, para repetir, em relação a ele [objeto], a tentativa original de fuga em face do mundo externo emissor de estímulos. Sentimos a "repulsa" do objeto, e o odiamos; esse ódio pode, depois, se intensificar a ponto de tornar-se uma propensão à agressão contra o objeto, uma intenção de aniquilá-lo.

Poderíamos, se necessário, falar que uma pulsão "ama" o objeto pelo qual ela anseia visando sua satisfação, mas dizer que uma pulsão "odeia" um objeto nos parece estranho, e nos damos conta de que as designações[35] de amor e de ódio não se aplicam às relações das pulsões com seus objetos, mas estão reservadas à relação do Eu-total com os objetos. Entretanto, a observação do uso da linguagem, certamente pleno de sentido, nos mostra outra limitação no significado de amor e ódio. Quanto aos objetos que servem à conservação do Eu, não se costuma dizer que alguém os ama; em vez disso se destaca o fato de que alguém necessita deles, e o expressa por outro tipo de relação ao utilizar palavras que indicam um amor bastante atenuado, como querer, gostar de ver, achar agradável.

Portanto, a palavra "amar" se desloca cada vez mais para a esfera da pura relação de prazer do Eu com o objeto e se fixa, finalmente, nos objetos sexuais no sentido mais restrito e naqueles que satisfazem as necessidades das pulsões sexuais sublimadas. A separação entre pulsões do

Ichtriebe von den Sexualtrieben, welche wir unserer Psychologie aufgedrängt haben, erweist sich so als konform mit dem Geiste unserer Sprache. Wenn wir nicht gewohnt sind zu sagen, der einzelne Sexualtrieb liebe sein Objekt, aber die adäquateste Verwendung des Wortes »lieben« in der Beziehung des Ichs zu seinem Sexualobjekt finden, so lehrt uns diese Beobachtung, dass dessen Verwendbarkeit in dieser Relation erst mit der Synthese aller Partialtriebe der Sexualität unter dem Primat der Genitalien und im Dienste der Fortpflanzungsfunktion beginnt.

Es ist bemerkenswert, dass im Gebrauche des Wortes »hassen« keine so innige Beziehung zur Sexuallust und Sexualfunktion zum Vorschein kommt, sondern die Unlustrelation die einzig entscheidende scheint. Das Ich haßt, verabscheut, verfolgt mit Zerstörungsabsichten alle Objekte, die ihm zur Quelle von Unlustempfindungen werden, gleichgültig ob sie ihm eine Versagung sexueller Befriedigung oder der Befriedigung von Erhaltungsbedürfnissen bedeuten. Ja, man kann behaupten, dass die richtigen Vorbilder für die Hassrelation nicht aus dem Sexualleben, sondern aus dem Ringen des Ichs um seine Erhaltung und Behauptung stammen.

Liebe und Hass, die sich uns als volle materielle Gegensätze vorstellen, stehen also doch in keiner einfachen Beziehung zueinander. Sie sind nicht aus der Spaltung eines Urgemeinsamen hervorgegangen, sondern haben verschiedene Ursprünge und haben ein jedes seine eigene Entwicklung durchgemacht, bevor sie sich unter dem Einfluss der LustUnlustrelation zu Gegensätzen formiert haben. Es erwächst uns hier die Aufgabe, zusammenzustellen, was wir von der Genese von Liebe und Hass wissen.

Die Liebe stammt von der Fähigkeit des Ichs, einen Anteil seiner Triebregungen autoerotisch, durch die Gewinnung von Organlust zu befriedigen. Sie ist ursprünglich

Eu e pulsões sexuais, que impusemos à nossa Psicologia, mostra-se, portanto, em conformidade com o espírito de nossa língua. Se não estamos habituados a dizer que a pulsão sexual individual ama seu objeto, e consideramos o emprego mais adequado da palavra "amar" na relação do Eu com seu objeto sexual, essa observação nos ensina que sua aplicabilidade à primeira relação mencionada começa apenas com a síntese de todas as pulsões parciais da sexualidade sob o primado dos órgãos genitais e a serviço da função reprodutora.

É digno de nota que no uso da palavra "ódio" não apareça uma relação íntima com o prazer sexual e com a função sexual, parecendo ser a relação de desprazer a única decisiva. O Eu odeia, abomina e persegue, com intenções destrutivas, todos os objetos que constituem fontes de sensações desprazerosas para ele, não importando se significam uma interdição da satisfação sexual ou da satisfação de necessidades de conservação. De fato, pode-se afirmar que os verdadeiros modelos da relação de ódio não advêm da vida sexual, mas da luta do Eu pela sua conservação e sua afirmação.

O amor e o ódio, que se apresentam como opostos completos em seu material, não mantêm, entretanto, uma relação simples entre si. Não surgiram da cisão de algo originalmente comum, mas possuem origens diversas, e cada um deles passou por desenvolvimentos diferentes antes de, sob a influência da relação prazer–desprazer, terem tomado a forma de opostos. Aqui se coloca a tarefa de resumirmos o que sabemos sobre a gênese do amor e do ódio.

O amor advém da capacidade do Eu de satisfazer de modo autoerótico uma parte de suas moções pulsionais pela obtenção do prazer de órgão. Ele é originalmente

narzisstisch, übergeht dann auf die Objekte, die dem erweiterten Ich einverleibt worden sind, und drückt das motorische Streben des Ichs nach diesen Objekten als Lustquellen aus. Sie verknüpft sich innig mit der Betätigung der späteren Sexualtriebe und fällt, wenn deren Synthese vollzogen ist, mit dem Ganzen der Sexualstrebung zusammen. Vorstufen des Liebens ergeben sich als vorläufige Sexualziele, während die Sexualtriebe ihre komplizierte Entwicklung durchlaufen. Als erste derselben erkennen wir das sich *Einverleiben* oder *Fressen*, eine Art der Liebe, welche mit der Aufhebung der Sonderexistenz des Objekts vereinbar ist, also als ambivalent bezeichnet werden kann. Auf der höheren Stufe der prägenitalen sadistisch-analen Organisation tritt das Streben nach dem Objekt in der Form des Bemächtigungsdranges auf, dem die Schädigung oder Vernichtung des Objekts gleichgültig ist. Diese Form und Vorstufe der Liebe ist in ihrem Verhalten gegen das Objekt vom Hass kaum zu unterscheiden. Erst mit der Herstellung der Genitalorganisation ist die Liebe zum Gegensatz vom Haß geworden.

Der Hass ist als Relation zum Objekt älter als die Liebe, er entspringt der uranfänglichen Ablehnung der reizspendenden Außenwelt von seiten des narzißtischen Ichs. Als Äußerung der durch Objekte hervorgerufenen Unlustreaktion bleibt er immer in inniger Beziehung zu den Trieben der Icherhaltung, so dass Ichtriebe und Sexualtriebe leicht in einen Gegensatz geraten können, der den von Hassen und Lieben wiederholt. Wenn die Ichtriebe die Sexualfunktion beherrschen wie auf der Stufe der sadistisch-analen Organisation, so leihen sie auch dem Triebziel die Charaktere des Hasses.

Die Entstehungs- und Beziehungsgeschichte der Liebe macht es uns verständlich, dass sie so häufig »ambivalent«,

narcísico, e passa então para os objetos que foram incorporados ao Eu ampliado, expressando então os esforços motores do Eu em direção a esses objetos tidos como fontes de prazer. Ele se conecta intimamente à atividade das pulsões sexuais posteriores e coincide, quando se cumpre sua síntese, com a totalidade da aspiração sexual. Fases preliminares do amar surgem como metas sexuais provisórias enquanto as pulsões sexuais atravessam seu complicado desenvolvimento. Reconhecemos como a primeira dentre essas fases a de *incorporar* ou *devorar*, como uma forma de amor compatível com a suspensão da existência em separado do objeto, podendo, portanto, ser caracterizada como ambivalente. Na fase mais elevada da organização pré-genital sádico-anal, aparece o anseio pelo objeto na forma do ímpeto pela dominação, ao qual é indiferente o dano ou a aniquilação do objeto. Essa forma e essa fase preliminares do amor quase não se diferenciam do ódio em sua conduta diante do objeto. Somente quando estabelecida a organização genital o amor se torna o oposto do ódio.

O ódio, como relação com um objeto, é mais antigo que o amor; ele brota do repúdio primordial do Eu narcísico perante o mundo externo portador de estímulos. Como exteriorização da reação de desprazer provocada pelos objetos, ele permanece numa relação íntima com as pulsões de conservação do Eu, de modo que as pulsões do Eu e as pulsões sexuais podem facilmente entrar em uma oposição que reproduz aquela entre o odiar e o amar. Quando as pulsões do Eu dominam a função sexual, como na fase da organização anal-sádica, elas também emprestam à meta pulsional as características do ódio.

A história da origem e das relações do amor nos faz entender como ele tão frequentemente se apresenta como

d.h. in Begleitung von Hassregungen gegen das nämliche Objekt auftritt. Der der Liebe beigemengte Hass rührt zum Teil von den nicht völlig überwundenen Vorstufen des Liebens her, zum anderen Teil begründet er sich durch Ablehnungsreaktionen der Ichtriebe, die sich bei den häufigen Konflikten zwischen Ich und Liebesinteressen auf reale und aktuelle Motive berufen können. In beiden Fällen geht also der beigemengte Haß auf die Quelle der Icherhaltungstriebe zurück. Wenn die Liebesbeziehung zu einem bestimmten Objekt abgebrochen wird, so tritt nicht selten Hass an deren Stelle, woraus wir den Eindruck einer Verwandlung der Liebe in Hass empfangen. Über diese Deskription hinaus führt dann die Auffassung, dass dabei der real motivierte Haß durch die Regression des Liebens auf die sadistische Vorstufe verstärkt wird, so dass das Hassen einen erotischen Charakter erhält und die Kontinuität einer Liebesbeziehung gewährleistet wird.

Die dritte Gegensätzlichkeit des Liebens, die Verwandlung des Liebens in ein Geliebtwerden entspricht der Einwirkung der Polarität von Aktivität und Passivität und unterliegt derselben Beurteilung wie die Fälle des Schautriebes und des Sadismus. Wir dürfen zusammenfassend hervorheben, die Triebschicksale bestehen im wesentlichen darin, dass *die Triebregungen den Einflüssen der drei großen das Seelenleben beherrschenden Polaritäten unterzogen werden*. Von diesen drei Polaritäten könnte man die der Aktivität − Passivität als die *biologische*, die Ich − Außenwelt als die *reale*, endlich die von Lust − Unlust als die *ökonomische* bezeichnen.

Das Triebschicksal der Verdrängung wird den Gegenstand einer anschließenden Untersuchung bilden.

"ambivalente", quer dizer, acompanhado de moções de ódio contra o mesmo objeto. Esse ódio mesclado ao amor provém em parte das fases preliminares, não totalmente superadas, do amar; de outra parte, fundamenta-se também nas reações de repúdio das pulsões do Eu que, nos frequentes conflitos entre os interesses do Eu e os do amor, podem evocar motivos reais e atuais. Em ambos os casos, portanto, o ódio mesclado remonta à fonte das pulsões de conservação do Eu. Quando a relação de amor com determinado objeto é interrompida, não raro surgirá o ódio em seu lugar, de modo que temos a impressão de uma transformação do amor em ódio. Mas, superando essa descrição, chegamos à concepção de que o ódio com motivações reais é fortalecido pela regressão do amor à fase preliminar sádica, de modo que o odiar adquire um caráter erótico, o que garante a continuidade de uma relação amorosa.

O terceiro antagonismo do amar, a transformação do amar em ser amado, corresponde aos efeitos da polaridade entre atividade e passividade, e está sujeita à mesma apreciação dos casos da pulsão de olhar e do sadismo. Podemos destacar, de modo resumido, que os destinos da pulsão consistem essencialmente no fato de que *as moções pulsionais estão submetidas às influências das três grandes polaridades que dominam a vida anímica.* Dessas três polaridades poderíamos designar a da atividade-passividade como a *biológica,* a do Eu–mundo externo como a *real* e, finalmente, a do prazer–desprazer como a *econômica.*

O destino pulsional do recalque[36] figurará como objeto de uma investigação posterior.

ENDNOTEN

[i] Vorausgesetzt nämlich, dass diese inneren Vorgänge die organischen Grundlagen der Bedürfnisse Durst und Hunger sind.

[ii] Zusatz 1924: In späteren Arbeiten (siehe: *Das ökonomische Problem des Masochismus*, 1924; Bd. XIII dieser Ausgabe) habe ich im Zusammenhang mit Problemen des Trieblebens mich zu einer gegenteiligen Auffassung bekannt.

[iii] Internationale Zeitschrift für Psychoanalyse, I, 1913.

[iv] Ein Anteil der Sexualtriebe ist, wie wir wissen, dieser autoerotischen Befriedigung fähig, eignet sich also zum Träger der nachstehend geschilderten Entwicklung unter der Herrschaft des Lustprinzips. Die Sexualtriebe, welche von vornherein ein Objekt fordern, und die autoerotisch niemals zu befriedigenden Bedürfnisse der Ichtriebe stören natürlich diesen Zustand und bereiten die Fortschritte vor. Ja, der narzisstische Urzustand könnte nicht jene Entwicklung nehmen, wenn nicht jedes Einzelwesen eine Periode von Hilflosigkeit und Pflege durchmachte, währenddessen seine drängenden Bedürfnisse durch Dazutun von außen befriedigt und somit von der Entwicklung abgehalten würden.

NOTAS

[i] Presumindo-se, é certo, que esses processos internos sejam a base orgânica das necessidades da sede e da fome.

[ii] Em trabalhos posteriores (ver: *O problema econômico do masoquismo*, 1924) me coloquei assumindo uma concepção oposta, lidando com problemas da vida pulsional.

[iii] Internationale Zeitschrift für Psychoanalyse, I, 1913.

[iv] Uma parte das pulsões sexuais, como sabemos, é capaz dessa satisfação autoerótica, e está apta, então, a ser portadora do desenvolvimento que descreveremos adiante, sob o domínio do princípio do prazer. As pulsões sexuais, que desde o início demandam um objeto, e as necessidades das pulsões do Eu, que jamais podem ser satisfeitas autoeroticamente, perturbam naturalmente esse estado e preparam o terreno para avanços. Por certo, o estado primordial do narcisismo não poderia tomar tal caminho de desenvolvimento se todo indivíduo não passasse por um período de *desamparo* e de *cuidados*, durante o qual suas necessidades prementes são satisfeitas por agentes externos e, com isso, detidas em seu desenvolvimento.

NOTAS DO TRADUTOR

[1] *irgendwoher*: funciona de modo semelhante ao *from somewhere* do inglês; quer dizer, *de algum lugar* ou *de alguns lugares indeterminado(s)* ou *indefinido(s)*.

[2] *Grundbegriffe*: *conceitos fundamentais*. Importante ressaltar a presença de *Grund* (solo, fundamento, base) na composição desta palavra, algo que enfatiza o seu aspecto de "alicerce" para a "construção" teórica.

[3] *erraten*: Os verbos alemães *raten* e *erraten* têm em *adivinhar* a sua primeira acepção, mas poderiam também ser traduzidos por *intuir*. Mesmo que em português a relação do vocábulo *adivinhar* com o sentido de *divino* ou *arbitrário* possa trair a costumeira acepção dada por Freud, preferiu-se preservá-lo naquilo em que remete a um "saber por antecipação, deduzir sem dispor de todas as evidências para determinada conclusão".

[4] *Seiten*: literalmente, *lados*. Talvez causasse menor estranhamento a tradução por "viés", "face" ou "a partir de", mas entendemos que o texto apresenta as pulsões como um conceito que se coloca na "fronteira" entre os saberes instituídos. Nesse sentido achou-se importante preservar a presença dos "lados" *de lá* e *de cá* das linhas divisórias convencionais. (Ver adiante o comentário sobre *Grenzbegriff*: *conceito limite* ou *conceito fronteiriço*.)

[5] *Reiz*: aqui traduzido por *estímulo*. Entretanto, cabe ressaltar que, enquanto *estímulo* e *estimulante* trazem no português conotações que nos remetem primeiramente ao agradável e positivo, *Reiz* aponta primeiramente para o que *irrita* e *desestabiliza* na língua alemã.

[6] *zweckmäßig*: *de acordo com um propósito* ou *finalidade* (*Zweck*). Neste texto aparecem de maneiras distintas os vocábulos *Zweck* (*propósito, finalidade*) e o termo da pulsão *Ziel* (*meta* ou *alvo*). Ver adiante.

[7] *Seelische*: adjetivo substantivado referente à *Seele*. A palavra alemã *Seele* é muito próxima do vocábulo grego *Psyche* (Ψυχή) e foi aqui traduzida por *alma*, malgrado a forte conotação religiosa comumente destinada a tal vocábulo em português. Aparentemente, Freud não faz uma clara distinção entre *Psyche* e *Seele* ou entre os adjetivos *psychisch* e *seelisch*; entretanto, preferiu-se reservar *alma* e *anímico* para a tradução dos vocábulos germânicos, e *Psique/psiquismo* e *psíquico* para a dos vocábulos de origem grega empregados pelo autor.

[8] *Aufhebung*: termo amplamente explorado na filosofia de expressão alemã, sobretudo por Hegel, foi aqui traduzido por *suspensão*, preservando-se com isso a composição do termo a partir do verbo *heben* (*levantar, içar*). Seu sentido nesse texto, no entanto, é próximo do de *interrupção, cessação*.

[9] *Bedürfnis*: ainda que *necessidade* seja a melhor opção para verter *Bedürfnis*, há em alemão o termo *Notwendigkeit* para expressar a "necessidade

imipreterível" ou o que "não pode ser resolvido por outra via". *Bedürfnis*, por sua vez, é mais próximo de *Bedarf* (demanda) e poderia, portanto, também ser compreendido como uma forma de "desejo premente".

10 *Befriedigung* tem em *satisfação* sua melhor tradução. Causa estranhamento, talvez, que a pulsão caracterizada como *força constante* possa ser "satisfeita". Ocorre que no português formamos o vocábulo a partir da noção do que é "suficiente" (latim: *satis*). No alemão, por sua vez, a palavra é formada pelo radical *fried-* (*Frieden: paz*), podendo ser entendida, portanto, como um parcial e momentâneo "apaziguamento".

11 *drängend*, particípio presente de *drängen* (impelir, empurrar) relacionado ao substantivo *Drang* (ímpeto, ânsia, pressão), um dos termos da pulsão (ver adiante).

12 *Reizbewältigung*: neste termo composto aparece o verbo *bewältigen*, que, ainda que ligado a *Gewalt* (violência, poder), tem o sentido principal de "dar conta de uma tarefa".

13 *Niederschläge*: mesmo termo utilizado na química para descrever o material não solúvel que se deposita ao fundo do recipiente em uma mistura não homogênea.

14 *Grenzbegriff*: tradicionalmente traduzido como *conceito limite*, preferimos aqui evidenciar a ideia de uma *fronteira* (*Grenze*) entre os domínios do conhecimento pelos quais o conceito circula.

15 *Drang*: pressão, é também passível de se traduzir por *ímpeto* ou *ânsia*. Na verdade, poderíamos reservar para *Druck* a tradução menos ambígua por *pressão*. O par *Drang* e *Druck*, aliás, apresenta-se na composição de dois importantes conceitos freudianos relacionados entre si: *Verdrängung* (recalque, recalcamento) e *Unterdrückung* (repressão, supressão). Em vários dicionários *Drang* aparece como um sinônimo possível para *Trieb*, em sua acepção de "força impelente". A partir do presente texto, fica claro o particular aspecto de uma somação de força que apresenta o decorrente aspecto *pressionador* da pulsão, seu fator motor.

16 *Ziel*: é o mesmo vocábulo utilizado para *alvo*. Por analogia refere-se à *meta* que se "atinge".

17 *Objekt*: No alemão conta-se para a noção de *objeto* com o vocábulo germânico *Gegenstand*, geralmente numa acepção de *objeto material*, podendo o vocábulo de origem latina *Objekt* revestir-se de maior abstração, denotando também *representações* ou *concepções*.

18 *Gegenstand*: objeto, fundamentalmente, no sentido material. (Ver nota anterior.)

19 *Leistung*: a palavra aparece na célebre composição *Fehlleistung* de Freud, comumente traduzida por <u>ato</u> *falho*. Mais do que um *ato* (*Handlung*, *Tat*), *Leistung* denota uma *realização*, "ação levada a cabo com uma produção (geralmente, positiva)".

[20] *Motiv*, no alemão, muito mais do que *motivo*, em português, deixa explícito o caráter do que é *motor* ou *motriz*.

[21] *Urtriebe*: o prefixo Ur- designa o que é *primevo*, ou seja, *anterior*, *originário* ou *primitivo*. Freud fez amplo uso deste recurso da língua alemã. São os casos de *Urvater* (pai <u>primevo</u>), *Urverdrängung* (recalque <u>originário</u>), *Urphantasie* (<u>protofantasia</u>), etc.

[22] *Ichtriebe*: nas construções em que aparecem as instâncias da segunda tópica *Ich* e *Es*, traduzidos para o inglês por *Ego* e *Id*, respectivamente, preferiu-se manter aqui suas acepções de pronomes comuns da língua alemã: *Eu* e *Isso*. Freud os diferencia pela inicial maiúscula para designá-los como substantivos e, por isso, preservou-se aqui essa opção.

[23] *Einsicht*: próximo de *insight* na língua inglesa, o termo pode referir-se tanto ao *lampejo* ou à *compreensão imediata* quanto simplesmente a uma compreensão baseada em elementos internamente disponíveis ao sujeito.

[24] Trata-se, muito provavelmente, do bacteriologista alemão Paul Ehrlich (1854-1915).

[25] Cabe lembrar que o presente texto seria o primeiro capítulo de um livro planejado para ser composto por outros onze artigos-capítulos sobre Metapsicologia. (Ver texto de Gilson Iannini neste volume.)

[26] *Schaulust*, palavra composta, teria sua tradução literal por *prazer/desejo* (*Lust*) de *contemplar/ver* (*Schau*). Preferimos o galicismo já tão difundido em nossa língua: *voyeurismo*.

[27] *geniessen*: *fruir, deleitar-se* está associado ao substantivo *Genuss*, comumente traduzido por *gozo, fruição*; noção amplamente investigada em determinadas leituras da obra de Freud.

[28] *fremd*: *alheio*, ocorre várias vezes neste texto para se referir ao que não diz respeito ao próprio sujeito. Em outros usos da língua, diz respeito também ao *estranho* e/ou *estrangeiro*.

[29] *konstruiren*: foi aqui traduzido por "deduzir por construção". Freud utiliza também em sua obra o substantivo *Konstruktion*, para tratar tanto das *formações do inconsciente* (sonhos, chiste, atos falhos, etc.) quanto de algo que se produz em uma análise a partir da livre associação.

[30] *Regung*: a tradução de *Regung* no composto *Triebregung* por *moção* se popularizou no Brasil, certamente através da versão francesa para *motion pulsionelle*. O termo *moção* aparece na língua portuguesa geralmente ligado ao jargão do Direito e não traz tão diretamente as ideias de *movimento, emoção* ou *excitação* presentes em *Regung*. Preferimos, entretanto, preservar a sua tradução por *moção*, dadas as possíveis confusões causadas pelas outras três alternativas recém-aventadas.

[31] FEDERN, P. Beiträge zur Analyse des Sadismus und Masochismus, I: Die Quellen des männlichen Sadismus. *Int. Z. ärztl. Psychoanal*, v. 1, p. 29 (95), 1913.

[32] JEKELS, L. Einige Bemerkungen zur Trieblehre. *Int. Z. ärztl. Psychoanal*, v. 1, p. 439 (95), 1913.

[33] *triebbesetzt*: composto dos termos *Trieb*: *pulsão*, e *besetzt*: *ocupado, investido, carregado*. Diante da difundida proposição de um neologismo pouco justificável, *catexia*, derivada do inglês *cathexis*, para a tradução do substantivo *Besetzung*, sua tradução por *investimento* tem sido uma alternativa amplamente adotada. Ainda que *investimento* seja uma opção interessante numa leitura "econômica" da *Metapsicologia*, entendemos que *ocupação* está mais próxima da construção do vocábulo alemão pela raiz *setzt*, relativa a *assentar* ou *ocupar* um espaço, preservando-se com isso os aspectos mais "tópicos" da leitura.

[34] Literalmente: "como escutamos".

[35] *Bezeichnungen*, na primeira edição. Posteriormente aparece a palavra *Beziehungen* (*relações*), que aparentemente faz menor sentido na frase.

[36] Foi de fato o título e tema do artigo metapsicológico escrito e publicado na sequência: *Die Verdrängung* (*O Recalque*).

Ensaios

SOBRE A TRADUÇÃO
DO VOCÁBULO *TRIEB*

Pedro Heliodoro

A Psicanálise surge certamente muito influenciada pelo "teatro da histeria". Acusadas de excessos cênicos e de apresentarem sintomas fictícios, o sofrimento das histéricas de outrora, condenadas ao silêncio quanto aos seus desejos, precisava se manifestar como súplica diante dos olhos da plateia de que dispunham. A palavra silenciada tinha que se converter em um sintoma corporal (paralisia, tremor, convulsão, etc.) para que fosse vista e percebida. Já em seus inícios, o método freudiano se pautava na "tradução" da linguagem dos sintomas corporais para a linguagem verbal. A *talking cure* já envolvia, portanto, uma tradução do sofrimento, dando o estatuto discursivo ao que se confundia com o anatômico-fisiológico.

Curiosamente, porém, se Freud apontava para a necessidade de traduzirmos na clínica, substituindo o corporal por palavras, diante das versões de seus escritos de que até recentemente dispúnhamos, aprendemos também a lê-los substituindo palavras. Um analista pode, em sua prática, traduzir-substituir, por exemplo, uma *falta de ar* por uma crise de *angústia*, uma *afonia* por um *silenciamento autoimposto*; o mesmo analista leitor de Freud que aprendeu no Brasil a substituir *Id* por *Isso*, *anáclise* por *apoio*, entre

tantos outros casos paradigmáticos de necessárias reformulações perante as traduções disponíveis.

Entretanto, entendemos que a tradução de Freud – autor tão multifacetado – deve ser encarada de forma complexa, para além dos "exercícios de substituição" (IANNINI, 2013, p. 22). Sua tradução não envolve tão somente o conhecimento das duas línguas e de uma boa técnica de tradução. Do texto de Freud, traduz-se também o substrato teórico que sustenta uma *prática clínica* amparada nas capacidades *representacionais* e *transformadoras* da palavra. A questão é que na estilística de Freud e nas suas opções de vocabulário, via de regra, *forma* e *conteúdo* confluem. Para usarmos as palavras de Freud a respeito da formação dos sonhos, chistes, atos falhos ou de outras construções (*Konstruktionen*) do inconsciente, há que se levar em conta as *Vorstellungen*, representações ideativas, e as *Darstellungen*, representações figurativas, presentes e conjugadas em seus escritos.

É fundamental, portanto, proceder à "escuta do texto" para que alguém possa desse autor se tornar "intérprete". Pensemos aqui justamente na condensação de sentidos na palavra "interpretação" em nossa língua, denotando ao mesmo tempo o *fazer* do analista (ex.: *interpretação/Deutung* de um ato falho), a *tradução oral consecutiva* (ex.: interpretação/ *Dolmetschen* de um conferencista estrangeiro) e a *figuração cênica* que um ator empresta a um papel (ex.: interpretação/ *Darstellung* de *Macunaíma* por Grande Othelo).

Freud, afinal, usou palavras muito comuns e cotidianas da língua alemã, tais como *Lust* (desejo/prazer/ vontade), *Drang* (ímpeto/pressão/ânsia) ou *Angst* (medo/ angústia/ansiedade), dando-nos a impressão de tanta facilidade de leitura e, consequentemente, de tradução. Entretanto, ele soube de tais palavras explorar ao extremo

suas polissemias, chegando, por vezes, às *anassemias*.[1] Logo, uma tradução que levasse em consideração somente a superfície do discurso perderia muito do *spielen* (jogar/brincar/representar) com os vocábulos envolvidos nos seus construtos.

Na *cena* inconsciente, assim como na escrita de Freud, a *consideração à figurabilidade* (*Rücksicht auf Darstellbarkeit*) é um requisito essencial ao tradutor em sua montagem-tradução, com as palavras de que pode dispor na língua de chegada. Nesse sentido, lembremos que *Übertragung*, a "transferência" que Freud utilizou para falar do envolvimento afetivo por substituição na clínica, funciona como excelente sinônimo de *tradução* (*Übersetzung*) em sua língua, o que nos convida a pensar a importância do "envolvimento" de um tradutor com o teor do que ele *transfere* de um autor-fonte a determinado leitor-alvo.

No meu caso específico, de psicanalista e tradutor, minha relação com a psicanálise e com a leitura do texto freudiano me levou, "em transferência", das questões surgidas na clínica psicanalítica para o campo das Letras, para os Estudos da Tradução e, finalmente, para a tradução dos escritos de Freud. Convidado pelo editor Gilson Iannini, coube-me a tarefa de coordenar as traduções das Obras Incompletas de Sigmund Freud, não somente discutindo com seu editor e demais membros do conselho consultivo as melhores opções de vocabulário, mas também contatando tradutores que estivessem "em boa transferência" com as ideias de Freud e da Psicanálise. Quanto ao seu vocabulário fundamental, procuramos levar em consideração, sempre que possível, as opções já disseminadas entre os leitores e estudiosos do autor, ainda que propondo revisões e novas alternativas nos casos necessários. Nesta tradução, assim como nas seguintes, buscou-se ter em conta as relações

entre as palavras do autor e suas repercussões, na configuração tanto de sua prática clínica quanto de seu edifício teórico que oferece sustentação às aplicações de suas ideias em diferentes práticas e campos do saber.

No texto de comentário ao volume de abertura de uma coleção com uma nova versão das obras de Freud, o leitor talvez busque justamente apreender, através do que escreve seu tradutor, quais os critérios que norteiam tal proposta de translação. Entretanto, enquanto não contamos nesta coleção com um volume específico para tratar de tais diretrizes, intentou-se com este texto apresentar nosso paradigma através do tratamento dado a um dos mais centrais entre os conceitos fundamentais da obra de Freud. Um conceito que aponta para as imbricadas relações entre seu estilo de escrita, seus construtos teóricos e a prática psicanalítica. Basta esclarecer, por ora, que com a eleição deste tão emblemático texto como pedra de toque para a coleção, procurou-se manifestar nossa proposta de endereçamento aos psicanalistas e estudiosos de Freud nos mais diversos campos do saber, advertidos de que suas proposições e seus pensamentos sempre tiveram na clínica e no estudo do psiquismo o seu fundamento primeiro.

O debate em torno das traduções da obra de Freud talvez não tivesse metade da força ou da importância se não fosse o termo *Trieb*, o mais controverso em relação às (im)possíveis traduções do vocabulário freudiano. Os motivos são diversos, mas o principal é que, conforme as decisões tomadas, acaba-se por determinar uma localização do discurso freudiano em um campo de saber predeterminado, rompendo com a ambiguidade inerente ao próprio vocábulo, traindo a concepção freudiana que

o caracteriza com seu atribuído cunho *fronteiriço*. No texto aqui apresentado, *As pulsões e seus destinos* [*Triebe und Triebschicksale*], Freud vai designá-lo justamente como um *Grenzbegriff* (conceito limite, conceito fronteira) entre o *somático-corporal* e o *anímico-psíquico*.

> [...] então nos aparece o *Trieb* como um conceito fronteiriço entre o anímico [*seelischem*] e o somático, como um representante psíquico dos estímulos [*Reize*] oriundos do interior do corpo e que alcançam a alma [*Seele*], como uma medida da exigência de trabalho imposta ao anímico em decorrência de sua relação com o corporal[2] (FREUD, 1914/1999, p. 214).

Decidir-se de modo acrítico por uma tradução descomprometida pode fazer desse *Trieb* uma espécie de clandestino que cruza as fronteiras para o "lado" biológico-corporal ou para o psíquico-cultural, naturalizando-se em uma ou outra região. Acontece que Freud não pretendeu naturalizá-lo em qualquer território previamente definido, mas antes preservar sua característica seminal *fronteiriça* e, portanto, apátrida. Nesse mesmo artigo metapsicológico, Freud admite pretender com esse conceito fundar sua teoria, mesmo percebendo a necessidade de admitir "certa dose de imprecisão"[3] (p. 210). Nesse sentido, *Trieb* é designado como "um conceito fundamental convencional, até o momento bastante obscuro"[4] (p. 211).

Em *Nova série de conferências introdutórias à Psicanálise*,[5] Freud não deixará dúvidas quanto a esse caráter de indeterminação: "A doutrina dos[6] *Triebe* é, por assim dizer, nossa mitologia. Os *Triebe* são entes míticos, grandiosos em sua indeterminação"[7] (FREUD, 1933/1999, p. 101). Em outro texto, *A questão da análise leiga*,[8] o autor admite a dificuldade de sua tradução para outras línguas, considerando *Trieb* "uma palavra a partir da qual muitas línguas modernas

nos invejam"[9] (Freud, 1926/1999, p. 227). Sua tradução é particularmente difícil para as línguas românicas nas quais as ideias de Freud mais se difundiram, a saber, o espanhol, o francês, o italiano e, certamente, o português.

O curioso, porém, é que o intenso debate em torno dessa tradução se dá a partir da versão de James Strachey para o inglês. A questão é que *Trieb* tem uma tradução bastante adequada e satisfatória, um parente etimológico, na língua de Shakespeare: *drive*. Não foi essa, entretanto, a solução utilizada pelo pioneiro tradutor inglês. Os leitores brasileiros que, em sua maioria, estão mais familiarizados com a língua inglesa do que com a língua alemã, logo reconhecem em *drive* não o *substantivo*, mas o *verbo* "conduzir, levar a"; não somente levar em um veículo, mas "forçar alguém ou alguma coisa a se mover em determinada direção"[10] (Crowther, 1995, p. 213). Como substantivo, *drive* designaria, além de "um passeio de carro", "uma pequena estrada ou rua", "o desejo de satisfazer uma necessidade: forte *drive* sexual".[11]

Curiosamente, entretanto, a palavra escolhida por Strachey foi *instinct*. Para esse vocábulo, recorrendo à mesma fonte consultada no caso de *drive*, o *Oxford Dictionary*, encontramos: "1) uma tendência, com a qual alguém nasce, para se comportar de determinada maneira sem raciocinar ou pensar; 2) um sentimento natural que faz alguém agir ou responder de um modo particular"[12] (Crowther, 1995, p. 412). Já no *Cambrigde Dictionary*, temos: "o modo como pessoas ou animais naturalmente reagem ou se comportam, sem terem que pensar ou aprender sobre isso"[13] (Heacock, 2010, p. 854). Eis, portanto, na tendência *inata* e no comportamento *natural*, uma garantia do estabelecimento do conceito no território do biológico/corporal, razão pela qual se acumulam as críticas à *Standard*

Edition de Strachey, acusado, à época, de ter sido demasiado "biologizante". Como até hoje a única reunião ampla dos textos freudianos traduzidos em língua portuguesa foi feita a partir dessa versão inglesa, temos ainda, na maioria das traduções brasileiras disponíveis, o termo *instinto* para designar o *Trieb* freudiano.

Mas, se começamos pelo inglês, origem da celeuma, voltemo-nos agora ao original alemão. Eis a entrada para esse vocábulo no tradicional *Wahrig Deutsches Wörterbuch*:

> Trieb [masc. 1] propulsão *[Antrieb]* (interior), ímpeto/pressão/impulso *[Drang],* força motora/impelente *[treibende]* (interna) (~ natural, ~ de alimentação), demanda sexual (~ sexual, ~ de reprodução); transferência de força de um eixo a outro (~ de cadeia [transmissão por cadeia], ~ de correia [transmissão por correia], ~ de cabo [transmissão por cabo], ~ de engrenagem [transmissão por engrenagem]; (mecânica de precisão), pequena roda dentada com poucos dentes relativa à engrenagem; Sin. *Triebrad*; parte nova de uma planta que se desenvolve [broto]; a condução do rebanho (descendente *[ab~]*, ascendente *[auf~]*); caminho de gado; direito de pastagem; satisfazer/apaziguar seus ~s sexuais; dominar seus ~s; eu não tenho nenhum, o menor ~ por isso/disso (coloquial) nenhuma energia, nenhum desejo/prazer *[Lust]*, ceder a seus ~; obedecendo à necessidade, e não aos próprios ~s (Schiller, *Noiva de Messina* I,1); novos ~s (nas árvores); ~ sensual [<médio alto-alemão *trip*; de *treiben*; ver também *Trift* – (pastagem, corrente)][14]

Conforme sua etimologia, o substantivo *Trieb* está diretamente ligado ao verbo *treiben* (verbo germânico. médio alto-alemão: *trīben*, antigo alto-alemão: *trīban*, gótico: *dreiban*, inglês: *drive*, sueco: *driva*), que denota

"colocar em movimento"[15] (DRODOWSKI; GREBE, 1963, p. 887). Nesse sentido, associa-se em diferentes acepções à Mecânica e à Física do "motor à propulsão" [*Antrieb*]; à atividade pastoril, no sentido de "conduzir, tocar adiante" o rebanho, e também à Botânica, no sentido de que o desenvolvimento de um "broto" [outra acepção de *Trieb*] é o pujante movimento próprio do crescimento. Assim, um *Treiber* é um tocador de gado; *Treibhaus*, uma casa [*Haus*] de vidro ou estufa para o crescimento de plantas; *Treibriemen*, a correia [*Riemen*] para transferência de movimento entre peças ou engrenagens. Associado ao termo *Trift* (pastagem, corrente), *treiben* (verbo) ou *Trieb* (substantivo) dão conta do "fluir, seguir um fluxo", seja das águas de um rio ou do mar, ou do movimento sincronizado do gado. *Treibeis* é, desse modo, o gelo [*Eis*] levado pelas correntes marítimas, e *Treibholz*, a madeira [*Holz*] à *deriva*.

Eis finalmente uma palavra portuguesa aparentada ao *Trieb*: *deriva*. No sentido de sua proveniência etimológica, no alemão e no português, duas línguas indo-europeias, *deriva* é, sem dúvida, o parente mais próximo de *Trieb*, e divide com ela certos "traços fisionômicos" fundamentais para esta discussão. O que está à *deriva* é impelido, movido, levado por uma força que se percebe como alheia, e eis aqui a diferença maior: na *deriva* essa força é de fato alheia. Já em relação aos *Triebe*, eles são, em termos freudianos, oriundos do Isso [*Es*], mas o Eu [*Ich*] os percebe como sendo uma "força alheia", rejeitando-os, mesmo sendo aquilo que o sujeito tem de mais próprio e singular. Lembremos a máxima freudiana: *Wo Es war, soll Ich werden*.[16] Tal divisa propõe a meta analítica de uma maior identificação com as "forças do Isso", os *Triebe*, em detrimento das produções imaginárias do Eu.

SOBRE A TRADUÇÃO DO VOCÁBULO *TRIEB* 81

A bem da verdade, o *Dicionário Houaiss* aponta para uma controvérsia relativa à origem do vocábulo *deriva*, ligado, sim, ao *drive* inglês e, portanto, ao *Trieb* alemão, mas também ao *dériver* francês: "Etimologia: fr. *dérive* (1628), regr. de *dériver*, que, em fr., é cruzamento da acp. 'deixar (o barco) à margem, partir, zarpar' com o ing. *to drive* 'dirigir'; ver *riv(i)-*" (HOUAISS; VILLAR, 2001).

Curiosamente, o francês *dériver* remonta ao latim *derivare*, de *rivus* (riacho, pequeno curso d'água) (REY *et al.*, 1996). E esse não parece ser um dado qualquer, já que o estilo freudiano – nas frases caracterizadas pelo tempo presente e na escolha de seu vocabulário – é extremamente marcado, por um lado, pelo *devir* e pela *fluência* e, por outro, pela *imposição de forças*. Veja-se, no caso da *fluência*, o reiterado uso de termos de "decurso", tais como *Vorgang* (processo), *Abfuhr* (escoamento/descarga), *Ablauf* (decurso/ decorrer), *Bahnung* (trilhamento), etc., e, quanto à *imposição de forças*, os usos de *Zwang* (compulsão/coerção/obsessão), *Drang* (pressão/ímpeto/ânsia), *dringen* (insistir em entrar/ penetrar), *Druck* (pressão), *Wiederstand* (resistência), etc. Semelhante é o caso, quanto à conjugação desses atributos, do *drive* inglês nas seguintes acepções: "Subst. (de vento ou de água) carregar algo em decurso: [v. + fr. nom.] folhas mortas *levadas/carregadas* (*driven*) em decurso pelo vento [v. + fr. nom. + fr. prep.], ondas enormes *conduzi-ram/impulsionaram* (*drove*) o iate contra os rochedos"[17] (CROWTHER, 1995, p. 412).

Os *Triebe*, aproveitando a polissemia de *deriva* e *derivar*, *derivam* do interior do sujeito-corpo, "brotam" desse interior, mas também *derivam*, "desviam-se" para outra coisa que não o puro determinismo biológico do instintual. Como vimos no exemplo fornecido no dicionário *Wahrig*, e presente em *A noiva de Messina* de Friedrich

82 OBRAS INCOMPLETAS DE S. FREUD

Schiller: "obedecendo à necessidade, e não ao próprio *Trieb*".[18] O que se atesta disso é que *Not*, a necessidade inequívoca, seria da ordem do *Instinkt*, que aqui claramente se opõe ao *Trieb*.

Não se trata de ignorar os fatores biológicos e físicos inerentes ao *Trieb*, um *Naturtrieb* (*Trieb* natural) poderia ser considerado um excelente sinônimo para *instinto*. A ambiguidade entre o somático e o psíquico, contudo, aparece até mesmo em certas definições de dicionários como o *Wörterbuch der Deutschen Sprache*, da *Berlin-Brandenburgische Akademie der Wissenschaft*: "impetuosa aspiração interior *inata ou adquirida* por ações necessárias à conservação da vida ou dirigidas à satisfação de fortes necessidades/tendências humanas"[19] (ENZENSBERGER, 2010, grifos nossos).

Em outras palavras, pode-se fazer uso do termo *Trieb* para contemplar tanto o *inatamente instintivo* quanto o *culturalmente adquirido*, tanto as inequívocas necessidades biológicas quanto as construídas demandas psíquicas; mas Freud trata, com esse conceito limite ou fronteiriço, justamente de um corpo transformado pelo psíquico, pela cultura, pelo simbólico. Se o *Trieb* é a base da sexualidade humana, não esqueçamos que Freud a considera, nos *Três ensaios sobre a teoria sexual*,[20] uma sexualidade perverso-polimorfa, já que a biologia não mais determina de modo exclusivo e direto nossas ações, e que dela sempre nos desviamos (derivamos) através do processo de subjetivação e de inserção na cultura. Para tratar do estritamente biológico, Freud chega a fazer uso do termo alternativo *Instinkt*, disponível no léxico alemão.

Nas novas traduções brasileiras feitas diretamente do alemão encontramos três versões diferentes para esse que é o segundo mais central dos conceitos freudianos: *instinto*, *pulsão* e *impulso*. Essa terceira opção, *impulso*, pretenderia

superar o dilema de aderir seja à tradição anglo-saxã, e traduzir *Trieb* por *instinto*, seja à alegada tradição francesa, que "imporia" *pulsion* (*pulsão*, em português).

Nossa opção para a presente tradução procurou levar em consideração as perdas e os ganhos entre as opções disponíveis em língua portuguesa. Se em nossas reflexões lançamos mão de *deriva* como um vocábulo etimologicamente aparentado ao *Trieb* alemão, cremos ter também deixado evidente a diferença entre as acepções das palavras em cada uma das línguas. Quanto à opção por *instinto*, pudemos ver com o auxílio de diferentes léxicos o quanto essa palavra induz ao erro e inclusive a um pernicioso desvio em relação ao que há de mais central nas proposições freudianas. A incursão pela etimologia acima apresentada, afinal, nos serve para mostrar o quanto tal desvio parece insistir em recolocar Freud no campo das Ciências Naturais, entre a Biologia e a Medicina, quando, na verdade, com o conceito de *Trieb*, o fundador da Psicanálise buscou justamente apresentar uma nova proposta para a sua clínica, uma proposta que supera os determinismos da natureza.

Já *impulso* cumpriria aparentemente um papel fundamental, por se tratar, tal como o *Trieb*, de um vocábulo corriqueiro e de imediata compreensão na língua em que se insere. Teria também a vantagem de sua indeterminação entre o somático-fisiológico (ex.: impulso nervoso) e o psíquico-cultural (ex.: impulso consumista). Nossa fundamental reserva diz respeito à caracterização do *Trieb* proposta por Freud no texto aqui apresentado, como uma *força constante* [*konstante Kraft*], ininterrupta, uma característica que diferenciaria o *Trieb* do *impulso* [*Impuls*], sendo este último caracterizado como uma *força de impacto* [*Stoßkraft*].

Marilene Carone, em seu "Freud em português: tradução e tradição" (1989a), chegou a aventar o uso do vocábulo *impulsão*, dada a alegada vantagem de "não ser um neologismo", mas em suas traduções preferiu aderir à "tradição"; utilizou *pulsão*. Mas se *pulsão* remete ao que "impulsiona", à força motora e à "pulsação" de uma força constante, se já há décadas integra os usos da língua portuguesa em campos muito alheios à própria Psicanálise, tendo sua entrada inclusive em dicionários não especializados,[21] por que haveria ainda tantas reservas quanto ao seu uso para uma tradução de Freud?

Nisso percebemos que o subtítulo do trabalho de Carone é emblemático: *tradução e tradição*. O motivo simples e claro é o da alegada remissão de seu uso à tradição francesa e, sobretudo às leituras lacanianas da obra de Freud. Afinal, uma tradução de Freud deve procurar ser "freudiana", e não lacaniana, kleiniana, bioniana, etc. Mas aqui caberia a reparação de dois equívocos fundamentais: a) acreditar que *pulsion* é uma invenção lacaniana e b) acreditar que aderir ao uso de um vocábulo difundido por um leitor específico implique a concordância irrestrita com ele.

Diferentemente do que muitos pensam, *pulsion* não foi um termo cunhado por Jacques Lacan. O dicionário *Petit Robert* (REY *et al.*, 1996), aliás, data de 1910, apenas nove anos após o nascimento de Lacan, o primeiro uso do vocábulo francês para a tradução do *Trieb* alemão. Além disso, como nos lembra Ernani Chaves (2013), em 1936, muito antes de Lacan começar seus *Seminários*, Pierre Klossowski traduziria de um texto de Walter Benjamin que dialogava com problemáticas freudianas o adjetivo *triebhaft* por *pusionnel*, com o aval do pensador alemão. Quanto à rejeição do aparente "neologismo" cunhado por

Lacan, se de fato ele foi muito inventivo com a língua e propôs construções originais de palavras para a leitura de conceitos freudianos, esse não foi o caso para sua leitura de *Trieb* como *pulsion*. Nesse caso específico, o psicanalista francês talvez tenha sido simplesmente o grande responsável pela difusão dessa opção como fundamental alternativa ao equívoco *instinct*.[22] Tanto é assim que se optou pelos cognatos *pulsión*, na tradução castelhana de Etcheverry; *pulsione*, na italiana de Musatti; *pulsió*, em traduções catalãs de Planella; e, conforme posto, *pulsão* foi também a opção de Marilene Carone e Luiz Alberto Hanns, dois conceituados tradutores brasileiros diretamente ligados à prática psicanalítica.

É verdade que tradições podem induzir ao erro, como é o caso do próprio *instinct* inglês ou do falso-cognato *fantasma*, na trilha do *fantasme* francês, para verter a *Phantasie* de Freud. Entretanto, simplesmente não vemos argumentos convincentes que deponham contra a tradição já inequivocamente estabelecida em relação ao uso de *pulsão*. Pelo contrário, Kathrin Rosenfield (2013), austríaca como Freud, mas grande estudiosa da literatura e da cultura brasileiras, justifica a opção por *pulsão*, independentemente das tradições de leitura, como a mais fiel ao "gênio" da língua portuguesa falada no Brasil. Inicialmente ela nos lembra da maleabilidade do *Trieb* alemão e, a partir desse argumento, traz a defesa de uma palavra que derive para outras, através de prefixos e sufixos; algo que obtemos tanto com as raízes *trieb/treib*, quanto com a raiz *puls* na língua portuguesa:

> As possibilidades são infinitas e o tradutor deveria julgar que a neutralidade e a maleabilidade do termo *Trieb* impõe uma escolha diversa do que "instinto", que dispõe de um raio semântico menor e mais

definido. Dispomos em português de construções análogas a alguns dos termos compostos que figuram na obra freudiana. Elas são construídas com -*pulsão*: por exemplo, "propulsão" (Antrieb), ou "compulsão" (zwanghafter Trieb, Wiederholungszwang). Além disto, poderíamos com alguma tolerância aceitar formulações que indicam o direcionamento da força energética: por exemplo, "a pulsão pulsa ao redor", ao passo que seria impossível construir tais frases idiomáticas com o termo "instinto" (ROSENFIELD, 2013, p. 126).

Apoiando-se no dicionário de Francisco Ferreira Azevedo (1983), Rosenfield justifica o uso de uma construção com o sufixo -*ão*, por se tratar de um corriqueiro recurso visando "acrescentar magnitude, amplidão e continuidade a uma ação ou acontecimento"[23] (p. 133-134). Nesse sentido, aliás, a autora nos lembra de um dos maiores representantes da expressão do gênio da língua brasileira e profundo conhecedor da língua de Freud, evocando-o em suas reflexões:

> Se Guimarães Rosa tivesse tentado expressar naturalmente a ideia de força daimônica do *Trieb*, ele sem dúvida teria se permitido brincar com os elementos e o modo de construção sumamente brasileiros "pulso + ão", isto é, com a *pulsão* freudiana (embora este termo não estivesse ainda registrado em dicionário nos anos 1940) (p. 134).

Num texto que visa tratar não somente da *pulsão*, mas também das "derivações dessa deriva", seus *destinos* [*Triebschicksale*], vemos, afinal, curiosas relações com as derivações por prefixos relacionados ao elemento de composição pospositivo -*pulsão* (HOUAISS; VILLAR, 2001). Se em seu livre curso a pulsão seria pura *im-pulsão* ou *pro-pulsão*, na direção de um objeto em busca de sua satisfação, a

"reversão em seu contrário", como no caso da transformação do amor em ódio, faria da *pulsão* uma *re-pulsão*. Quanto ao "retorno em direção à própria pessoa", esse se caracterizaria pela *retro-pulsão*. O "recalque", como rejeição de uma representação, seria, de certo modo, sua *ex-pulsão*, enquanto certas manifestações de "sublimação" beiram às *com-pulsões*. Escutemos, pois, em nossa língua, as *pulsações* dessa força impelente e constante.

REFERÊNCIAS

CARONE, M. Freud em português: uma tradução selvagem. In: SOUZA, P. C. (Org.). *Sigmund Freud e o gabinete do Dr. Lacan*. São Paulo: Brasiliense, 1989.

CARONE, M. Freud em português: tradução e tradição. In: SOUZA, P. C. (Org.). *Sigmund Freud e o gabinete do Dr. Lacan*. São Paulo: Brasiliense, 1989a.

CHAVES, E. A pulsão de Freud a Benjamin. *Cult – Revista Brasileira de Cultura*. São Paulo, n. 181, jul. 2013, p. 36-39.

FREUD, S. Die Frage der Laienanalyse. In: *Gesammelte Werke – Chronologisch geordnet*. Frankfurt am Main: Fischer Verlag, 1999 (1926).

FREUD, S. Die Traumdeutung. In: *Gesammelte Werke – Chronologisch geordnet*. Frankfurt am Main: Fischer Verlag, 1999 (1900).

FREUD, S. Drei Abhandlungen zur Sexualtheorie. In: *Gesammelte Werke – Chronologisch geordnet*. Frankfurt am Main; Fischer Verlag, 1999 (1905).

FREUD, S. Neue Folge der Vorlesungen zur Einführung in die Psychoanalyse. In: *Gesammelte Werke – Chronologisch geordnet*. Frankfurt am Main: Fischer Verlag, 1999 (1933).

FREUD, S. Triebe und Triebschicksale. In: *Gesammelte Werke – Chronologisch geordnet*. Frankfurt am Main: Fischer Verlag, 1999 (1914).

88 OBRAS INCOMPLETAS DE S. FREUD

IANNINI, G. A língua de Freud e a nossa. *Cult – Revista Brasileira de Cultura*. São Paulo, n. 320, jul. 2013, p. 25.

ROSENFIELD, K. Traduzir Freud: impasses e perspectivas – A questão do *Trieb*. In: TAVARES, P. H.; COSTA, W. C.; DE PAULA, M. B. *Tradução e Psicanálise*. Rio de Janeiro: 7Letras, 2013.

Dicionários

CROWTHER, J. (Ed.). *Oxford Advanced Learner's Dictionary*. Oxford: Oxford University Press, 1995.

DRODOWSKI, G.; GREBE, P. (Eds.). *DUDEN Etymologie – Herfunftswörterbuch der deutschen Sprache*. Mannheim: Dudenverlag, 1963.

ENZENSBERGER, H.-M. *et al. Wörterbuch der Deutschen Sprache der Berlin-Brandenburgische Akademie der Wissenschaft*. Berlin: BBAdW, 2010. (Edição eletrônica.)

HEACOCK, P. (Ed.) *Cambridge Dictionary*. Cambrigde: Cambridge University Press, 2010.

HOUAISS, A.; VILLAR, M. S. *et al. Dicionário Houaiss da língua portuguesa*. Rio de Janeiro: Objetiva, 2001. (Edição eletrônica.)

REY, A. *et al. Le Petit Robert Dictionnaire de la Langue Française*. Paris: Liris Interactive, 1996. (Edição eletrônica.)

WAHRIG, G. (Ed.). *Wahrig Deutsches Wörterbuch*. Munique: Mosaik Verlag, 1980.

SOBRE A TRADUÇÃO DO VOCÁBULO *TRIEB*   89

NOTAS

1 Noção introduzida por Nicolas Abraham para tratar do novo significado que uma palavra comum adquire no contexto psicanalítico.

2 *"so erscheint uns der Trieb als ein Grenzbegriff zwischen Seelischem und Somatischem, als psychischer Repräsentant der aus dem Körperinnern stammenden, in die Seele gelangenden Reize, als ein Maß der Arbeitsanforderung, die dem Seelischen infolge seines Zusammenhangs mit dem Körperlichen auferlegt ist."*

3 *"...ein gewisses Mass von Unbestimmtheit."*

4 *"Ein solcher konventioneller, vorläufig noch ziemlich dunkler Grundbegriff."*

5 *Neue Folge der Vorlesungen zur Einführung in die Psychoanalyse.*

6 Apesar de utilizarmos um substantivo feminino para a sua tradução, *pulsão*, o substantivo alemão *Trieb* é masculino em sua língua de origem.

7 *"Die Trieblehre ist sozusagen unsere Mythologie. Die Triebe sind mythische Wesen, großartig in ihrer Unbestimmtheit."*

8 *Die Frage der Laienanalyse.*

9 *"ein Wort, um das uns viele moderne Sprachen beneiden".*

10 *"to force sb/sth to move in a particular direction"* – Oxford Dictionary.

11 *"the desire to satisfy a need: strong sexual drive".*

12 *"1. a tendency that one is born with to behave in a certain way without reasoning or thinking 2. a natural feeling that makes one act or respond in a particular way."*

13 *"the way people or animals naturally react or behave, without having to think or learn about it".*

14 "Trieb [m .1] *(innerer) Antrieb, Drang, (innere) treibende Kraft* (Natur ~, Nahrungs ~); *geschlechl. Verlangen* (Geschlechts~, Fortpflanzungs~); *Kraftübertragung von einer Welle auf eine andere* (Ketten ~, Riemen~, Seil~, Zahnrad~); (Feinmechanik) *dem Ritzel entsprechendes kleines Zahnrad mit wenig Zähnen; Sy Triebrad; neuer sich entwickelnder Teil einer Pflanze; das Treiben der Herde* (Ab~, Auf~); *Viehweg; Weiderecht;* seinen (geschlechtl.) ~ befriedigen; seine ~e beherrschen; ich habe keinen, nicht den geringsten ~ dazu (umg.) keine Energie, keine Lust; seinen ~en nachgeben; der Not gehorchend nicht dem eignen ~e (Schiller, Braut von Messina I,1); junge ~e (an den Bäumen); sinnlicher ~ [<mhd. trip; zu *treiben;* → a. *Trift*]" (WAHRIG, 1980, p. 1356. Grifos nossos)

15 *"in Bewegung setzen"*

16 Literalmente: "Onde Isso estava, devo Eu advir". Há um longo e sofisticado debate acerca da tradução dessa máxima. Aqui buscamos

traduzi-la da maneira mais literal possível, deixando ao leitor a tarefa de interpretá-la conforme suas inclinações teóricas.

[17] *"S(of wind or water) to carry something along: [Vnp] dead leaves driven along by the wind, [Vnpr] Huge waves drove the yacht onto the rocks."*

[18] *"der Not gehorchend nicht dem eignen Trieb".*

[19] *"angeborenes oder erworbenes, heftiges inneres Streben nach Handlungen, die zur Erhaltung des Lebens notwendig oder auf die Befriedigung starker Bedürfnisse des Menschen gerichtet sind".*

[20] *Drei Abhandlungen zur Sexualtheorie.*

[21] Ver *Dicionário Houaiss da Língua Portuguesa* (HOUAISS; VILLAR, 2001).

[22] Ainda que, por vezes, sobretudo em fases iniciais de seu ensino e em alguns escritos, o próprio Lacan tenha feito uso de *instinct* na língua francesa para verter o *Trieb* freudiano.

[23] Ex.: *puxão, supetão, tirão.*

EPISTEMOLOGIA DA PULSÃO: FANTASIA, CIÊNCIA, MITO

Gilson Iannini

*Então é preciso mesmo
que a feiticeira intrometa-se.*

(GOETHE)

AS AMORAS DE FALSTAFF E O PÃO DA GUERRA

Era a guerra. O continente que melhor havia implementado o programa das Luzes, não apenas com inimagináveis avanços industriais e científicos, mas sobretudo em que as mais altas realizações artísticas e culturais haviam sido conquistadas, submergia numa noite que parecia não ter fim. Os anos que precederam a eclosão do conflito experimentavam uma cisão profunda: de um lado, fermentava o modernismo estético e social de inclinação cosmopolita e internacionalista, de outro lado, ganhavam fôlego ideologias nacionalistas. As primeiras notícias da guerra foram recebidas com certo entusiasmo pelas reinantes ideologias nacionalistas, saudosas das antigas virtudes heroicas, ciosas de mostrar a superioridade cultural em relação ao vizinho decadente. Nunca a expressão freudiana "narcisismo das pequenas diferenças" havia ganhado contornos tão sombrios. Antes que mostrasse sua verdadeira

face, a iminência da guerra inflara parcela considerável da população com um ardor febril, e a deflagração do conflito fora saudada por alguns eminentes intelectuais, cientistas, artistas, além, é claro, da grande imprensa. No famoso *Manifesto de Fulda*, nomes de peso da Ciência declararam seu incondicional apoio às ações militares alemãs. O *Manifesto* foi assinado por diversos ganhadores de prêmios Nobel. Entre seus 93 signatários, destacam-se nomes como Max Planck e Wilhelm Wundt. Alguns poetas também cantaram seu apoio à guerra. Contudo, a poesia modernista, em suas diferentes vertentes, foi essencialmente antibélica. Nisso, o diagnóstico dos poetas fora mais certeiro do que o dos demais intelectuais.[1] Em todo caso, não demoraria muito para que toda aquela febre fosse transformada em profunda desilusão. A Europa assistiria atônita a um desastre sem precedentes, em que o poderio das máquinas pela primeira vez era utilizado de maneira ostensiva, ocasionando perdas humanas incalculáveis.

Em Viena, Freud vivenciava a guerra com intensa apreensão e desilusão. Três de seus filhos combateram; dois deles, Ernst e Martin, em diversas batalhas. A duração inesperada dos confrontos iniciados em 1914 deixaria Viena numa situação de escassez de toda ordem. Não demoraria muito para que a família Freud precisasse recorrer à ajuda de amigos estrangeiros, que enviavam alimentos, charutos e outros itens. Perto de completar 60 anos de idade, quando a guerra foi deflagrada Freud não tinha muito que fazer, senão continuar sua atividade clínica, ou o pouco que restou dela naqueles tempos difíceis, dedicar-se às igualmente poucas tarefas editoriais que ainda restavam e escrever. Escreveu de maneira abundante. Não escreveu apenas textos psicanalíticos diversos e farta correspondência, mas até sobre o próprio fenômeno da guerra. Nos

últimos tempos daquele período não havia nem mesmo aquecimento em seu escritório, o que tornava a tarefa de escrever praticamente impossível, principalmente nos meses frios. Foi durante essa longa noite da guerra que alguns de seus mais brilhantes ensaios e mais sistemáticos estudos foram escritos.

Interessado em investigar as consequências psíquicas da guerra, Freud examina a desilusão e a atitude diante da morte. Até mesmo a imparcialidade da ciência, afirma, é ameaçada pela devastação psíquica da guerra. Nosso intelecto só trabalha de maneira fiável quando protegido das ingerências do afeto. Nesse sentido, escreve:

> [...] logo, argumentos lógicos seriam impotentes perante os interesses afetivos, e, por isso, a contenda com fundamentos [*Gründen*], que segundo Falstaff são tão comuns como as amoras, é tão infrutífera no mundo dos interesses. [...] A cegueira lógica que esta guerra magicamente provocou, justamente nos nossos melhores concidadãos, é, portanto, um fenômeno secundário, uma consequência da excitação dos sentimentos que esperamos poder ver desaparecer junto com ela (FREUD, Gesammelte Werke, t. X p. 339).[2]

A alusão à celeuma em torno do *Manifesto de Fulda* parece bastante clara. Em contrapartida, a guerra desnuda as camadas de cultura que se depositaram nos homens pelo processo civilizatório e "faz vir à tona o homem primitivo em nós" (FREUD, G.W., t. X p. 354). Ao investigador da subjetividade humana, uma dupla injunção impõe-se imediatamente: se, de um lado, a imparcialidade científica parece temporariamente ameaçada, por outro lado, o objeto da psicanálise aparece de maneira mais crua e nítida,

uma vez que as camadas civilizatórias parecem descamar com muito mais facilidade.

É nesse contexto que Freud resolve escrever sua *Metapsicologia*, conjunto planejado de 12 textos que visavam formalizar e consolidar quase duas décadas de atividade clínica e de prática teórica. A iniciativa era tanto mais urgente quanto as próprias guerras intestinas da Psicanálise pareciam querer diluir numa psicologia geral algumas das suas descobertas fundamentais. Freud concentrou seus esforços contra os desvios efetuados por Adler e, principalmente, por aquele que um dia havia sido chamado de príncipe herdeiro, Jung. Adler teria reformulado as ideias de Freud numa espécie de "psicologia geral, reacionária e retrógrada" (GAY, 1989, p. 213), que praticamente desconsiderava o caráter pulsional da sexualidade e o inconsciente. Jung, durante viagem a Nova York, se gaba do sucesso de sua conferência, justamente por ter apresentado uma versão da Psicanálise que fazia economia da sexualidade infantil e do Édipo. Pouco depois, em 1913, em Londres, anuncia outra conferência, ainda com o título de *Psicanálise*, em que pretendia dar seguimento ao seu programa deliberado de desvincular a libido e a sexualidade, negligenciando justamente o caráter pulsional da sexualidade. Nos anos seguintes, Jung passa a usar o título de "psicologia analítica" para designar as reformulações que ele propunha à doutrina freudiana. Aos poucos, a afinidade com a experiência religiosa e com uma certa abordagem da mitologia forneceria a Jung toda a trama conceitual dos arquétipos e do inconsciente coletivo. Viena declara guerra a Zurique.

As armas de que Freud dispunha eram os conceitos fundamentais, que precisavam agora ser dispostos de uma forma capaz de garantir a especificidade da Psicanálise, delimitando seu discurso e sua prática em relação a outras

práticas. Preocupado não apenas com a manutenção de certos princípios teóricos, mas fundamentalmente com a sustentação de certos preceitos éticos e procedimentos clínicos, Freud resolve escrever uma síntese de seus achados metapsicológicos. Tudo indica que ele planejara um livro coeso e sistemático. Como era de costume, comunicou o projeto em diversas cartas e fez circular um ou outro manuscrito entre seus discípulos. Além disso, resolveu publicar aos poucos os capítulos que redigia, na forma de artigos. Os três primeiros foram escritos num ritmo frenético, pouco depois de iniciada a Grande Guerra. Em poucos meses, havia completado alguns de seus mais conhecidos ensaios metapsicológicos. No final de abril de 1915, informa a Ferenczi que havia concluído os capítulos sobre as pulsões, sobre o inconsciente e sobre o recalque, que sairiam ainda naquele ano na *Internationale Zeitschrift für Psychoanalyse*. Essa disposição para o trabalho teórico, que ele próprio admitia ser incomum, podia ser atribuída a vários fatores, entre eles "a dureza do pão de guerra", como confessa em carta a Ferenczi (GAY, 1989, p. 334).

Dos 12 artigos planejados inicialmente, apenas cinco foram efetivamente concluídos e publicados. O destino dos outros sete é incerto, provavelmente destruídos pelo próprio autor.[3] De toda forma, é digno de nota que o primeiro artigo seja dedicado justamente às pulsões. Esse artigo deveria servir como a porta de entrada no edifício da Psicanálise. Em carta a Lou Andreas-Salomé, informa entusiasmado que o livro consistiria em "12 ensaios, introduzidos por pulsões e seus destinos", sem aspas (GAY, 1989, p. 334). Pela primeira vez, o conceito de pulsão aparece em seu justo lugar: tão ou mais fundamental do que o próprio conceito de inconsciente. Isso porque a pulsão é "anterior" ao próprio aparelho psíquico: ela é o

elemento de ligação entre o corpo e a psique. Seu caráter é fronteiriço, limítrofe, como não cansa de insistir Freud, com metáforas que poderiam claramente remeter a guerras de trincheira. A pulsão opera numa certa zona de indeterminação, de indistinção entre corpo e aparelho psíquico: embora sua fonte seja sempre somática, só conhecemos dela seu representante psíquico, conforme estabelecido desde os *Três ensaios sobre a sexualidade* (1905). É nesse hiato, nessa fronteira que se situa a pulsão. A pulsão é, tanto do ponto de vista lógico quanto do topográfico, anterior até mesmo ao próprio sistema inconsciente, até mesmo a qualquer inscrição no aparelho psíquico ou neuronial. Por isso, no artigo metapsicológico sobre as pulsões, Freud insistia quanto a seu caráter de conceito fundamental e de conceito fronteiriço, limítrofe. O que não o impede de admitir, no mesmo gesto, o caráter "convencional" e até mesmo "obscuro" de seu conteúdo semântico, que guarda ainda alguma indeterminação e permanece aberto a futuras reformulações.

Nisso, porém, continua, o conceito de pulsão não diferiria nem mesmo dos conceitos mais fundamentais da Física: embora estes parecessem firmemente estabelecidos, àquela altura sofreriam uma profunda modificação de seu conteúdo.[4] Com efeito, no início do século XX, conceitos fundamentais da mecânica newtoniana sofreriam uma profunda alteração. Ernst Mach foi um dos pioneiros, Albert Einstein, um dos mais célebres. Freud não alude explicitamente a nenhum cientista em particular, mas compara, tacitamente, sua atitude científica diante da construção conceitual com a atitude do cientista. Não demoraria muito para Freud comparar-se, em 1919, a Mach a propósito de uma experiência inquietante de percepção da própria imagem. Explicitamente, faz de Mach seu "duplo"

diante de uma inquietante experiência; uma experiência, justamente, do duplo (cf. *Unheimliche*). Dentro de alguns anos, Freud e Einstein se encontrariam em Berlim. Em carta a Ferenczi, o psicanalista teria afirmado que "ele entende tanto de Psicologia quanto eu entendo de Física, de modo que tivemos uma conversa muito agradável". Em seguida, os dois eminentes cientistas trocariam alguma correspondência, a propósito da guerra.

Mas essa não foi a única ocasião em que Freud comparou sua atitude com a atitude de eminentes cientistas. Ainda durante a guerra, já quase ao seu final, escreve um texto combativo que pretende defender a Psicanálise contra alguns de seus críticos. Sua estratégia argumentativa é a de associar as resistências à Psicanálise não apenas a fatores lógicos ou epistemológicos, mas também, e talvez sobretudo, a fatores afetivos. Ao afirmar que "o eu não é o senhor em sua própria casa" (FREUD, G.W., t. XII, p. 11), Freud se junta a Copérnico e a Darwin, que teriam retirado a Terra e o homem de suas respectivas posições de exceção em relação ao determinismo que a ciência supõe. Com efeito, Freud reclama para si uma filiação científica: esse é o sentido maior desse mito de origem da Psicanálise, dessa parábola de fundação. Logo depois de situar as descobertas da Psicanálise na esteira do astrônomo e do naturalista, no parágrafo imediatamente seguinte, presta homenagem a um filósofo, Schopenhauer, que por pouco não qualifica como seu predecessor. Evidentemente, não sem afirmar imediatamente a *especificidade* de sua própria empresa: ao passo que o filósofo se contenta em afirmar abstratamente as teses concernentes à impotência da consciência e à importância da sexualidade, a Psicanálise se ocupa de "demonstrá-las em questões que tocam pessoalmente cada um individualmente e os força a assumir alguma atitude

em relação a esses problemas" (FREUD, G.W., t. XII, p. 12). Notemos que o que aqui se propõe poderia parecer, aos olhos de um cientista, uma estranha coabitação: um regime próprio à *demonstração* – uma demonstração, em sentido estrito, não envolve assentimento – e a exigência de posicionamento subjetivo, na qual podemos reconhecer o retorno até certo ponto inesperado de uma dimensão *retórica*. O que exige do leitor não um rebaixamento de sua atividade crítica, como pensava Wittgenstein, mas justamente o contrário:[5] que a avaliação fosse feita em nome próprio, e não apenas em nome de parâmetros metodológicos ou epistemológicos preestabelecidos, cuja natureza também incerta e transitória as recentes mudanças na Física comprovariam. Mas o que nos interessa aqui é retomar a maneira como Freud resume o que ele mesmo chama de as *duas descobertas fundamentais da Psicanálise*: "[...] que a vida pulsional da sexualidade em nós não se deixa domar plenamente e que os processos anímicos são em si mesmos inconscientes, não se tornando acessíveis ao eu e não lhe sendo submetidos a não ser através de uma percepção incompleta e não fiável" (FREUD, G.W., t. XII, p. 11).

O texto não poderia ser mais claro: pulsão e inconsciente são os dois conceitos mais importantes da Psicanálise. É bastante comum que livros de introdução e de divulgação apresentem Freud como o descobridor do inconsciente. Embora verdadeira, essa descrição é, no mínimo, incompleta. Pois a especificidade do inconsciente freudiano aparece em toda sua radicalidade apenas quando articulada com a centralidade do conceito de pulsão. É o que podemos constatar ao retornarmos à saga dos artigos que deveriam compor a *Metapsicologia*, tal como sonhada entre 1914 e 1915. Ao buscar uma apresentação sistemática dos conceitos fundamentais da Psicanálise, aqueles que emprestam

inteligibilidade à própria clínica e que conferem a identidade epistemológica à Psicanálise, Freud prioriza o conceito de pulsão. Ao perceber os descaminhos que arriscavam diluir a Psicanálise numa psicologia geral reacionária ou mística, Freud não apenas coloca lado a lado inconsciente e pulsão, mas também confere à pulsão um estatuto privilegiado. Não é difícil perceber essa estratégia como um gesto, ao mesmo tempo, epistemológico e político.

O caráter fronteiriço, limítrofe do conceito de pulsão, deve-se à sua anterioridade lógica ou mesmo topográfica quanto ao sistema inconsciente. Isto é, sua ligação com as excitações endossomáticas, das quais o aparelho não tem como se abrigar, é o fator que justifica por que a teoria das pulsões possui um caráter ainda mais fundamental. Não por acaso, o conjunto dos 12 artigos metapsicológicos deveria ser precedido pela análise dos destinos das pulsões. Na própria forma planejada do livro, o texto sobre as pulsões teria uma posição de destaque, funcionando como uma espécie de prólogo, como algo que vem antes (*prós*) do discurso (*lógos*). *As pulsões e seus destinos* é o prólogo que o próprio Freud planejou para sua *Metapsicologia*. Não por acaso, a página introdutória do referido ensaio é uma verdadeira carta epistemológica, que serve não apenas como porta de entrada a esse texto, mas como uma espécie de introdução à própria *Metapsicologia*, na medida em que o referido artigo seria essa espécie de prólogo dos artigos reunidos. Tal como o *Discurso do método* servia a Descartes como uma espécie de introdução metodológica a seus textos científicos, essa página e meia de Freud, aparentemente despretensiosa, funciona não apenas como uma reflexão acerca da cientificidade da Psicanálise, mas sobretudo como uma preparação do leitor para a introdução do conceito de pulsão. De fato, ela prepara a disposição

intelectual e afetiva que o leitor deve ter quanto ao estatuto epistemológico dos conceitos fundamentais da Psicanálise. Ali são estabelecidos, com clareza e concisão invejáveis, alguns aspectos essenciais quanto à maneira freudiana de pensar as continuidades e as descontinuidades com a ciência. De modo especial, quanto à maneira como lida com a formação de conceitos: de um lado, como conceitos são originados a partir de ideias abstratas oriundas de lugares e fontes as mais diversas e, de outro lado, como tais ideias se articulam com o material empírico e constituem, desse modo, conceitos. Uma página aparentemente simples, mas que contém todo um programa epistemológico, programa este que decorre não da leitura do que os filósofos escreveram sobre o que a ciência deveria ser, mas de sua própria prática teórica e clínica.

A CARTA EPISTEMOLÓGICA DE FREUD: IDEIAS, CONCEITOS, FATOS

É inevitável que iniciemos este comentário com uma paráfrase das primeiras linhas de *As pulsões e seus destinos*, mostrando quantas teses sofisticadas se infiltram por sob uma primeira camada aparentemente *naïve* de texto. Antes de prosseguir, peço ao leitor que releia com cuidado os dois primeiros parágrafos do texto de Freud que tem em mãos (neste volume, p. 15 e p. 17). Trata-se, com efeito, de um dos raros momentos em sua obra em que ele explicita seu próprio procedimento conceitual e estabelece alguns parâmetros para a discussão do estatuto científico dos conceitos fundamentais da Psicanálise. O que se segue é um esforço de análise daquelas poucas e condensadas linhas. O resultado desse esforço será o de situar o estatuto epistemológico do conceito de pulsão.

A primeira coisa que Freud nos mostra é que a exigência de que uma ciência deva partir de conceitos claros e precisos, embora seja uma concepção amplamente difundida na cultura – por isso "frequentemente ouvimos" –, não corresponde à efetiva história das ciências, nem à prática científica concretamente realizada pelos cientistas. Isso é verdadeiro até mesmo no que concerne às ciências mais exatas.[6] Logo em seguida, Freud parece subscrever, ainda que por um breve momento, uma visão positivista da ciência, ao dizer que a atividade científica consiste, primeiramente, na descrição de fatos empíricos positivamente dados, que apenas num segundo momento seriam correlacionados entre si. Por um instante, Freud parece esposar o credo empirista radical da descrição ateórica (ou teoricamente neutra) de fenômenos que se mostrariam ao pesquisador em toda sua objetividade e que apenas num segundo momento seriam inseridos numa estrutura teórica, i.e., agrupados e ordenados através de conceitos. Em suma, tudo parece indicar o endosso de uma visão segundo a qual a ciência começa pela observação de fatos e ascende gradualmente a níveis mais elevados de conhecimento, em que leis são formuladas e predições realizadas. O leitor apressado, com inclinações positivistas talvez inconfessas, poderia facilmente deixar-se levar. Mas Freud rapidamente dá uma terceira volta no parafuso. A ciência *não* começa com a descrição pura de fenômenos objetivamente dados. E isso ocorre por uma razão muito simples: não existem fenômenos puros, isentos de alguma estrutura ou elemento de natureza não empírica que torne possível a própria descrição.[7] Freud emprega o termo mais genérico que pode: são "ideias abstratas" que parecem derivar do material empírico, mas que na verdade se antecipam à própria apreensão e

impregnam a própria descrição do material.[8] Tais ideias são oriundas "de algum lugar" (*irgendwoher*). Na verdade, importa pouco saber a fonte desta ou daquela ideia, elas podem provir de qualquer lugar.[9]

Nesse momento inicial, o conteúdo delas é amplamente indeterminado. É justamente enquanto ainda possuem esse grau de indeterminação que devem ser reiteradamente confrontadas ao material. Freud descreve um complexo jogo de vai e vem entre ideias abstratas e fenômenos – no caso, o material da clínica psicanalítica, como sonhos, sintomas, atos falhos, etc. – cujo estatuto cabe ainda interrogar. Não poucas vezes, sublinha que tais ideias abstratas possuem contornos amplos e são semanticamente abertas, isto é, aptas a serem transformadas pelo confronto com o material empírico. É necessário tolerar certo grau de indeterminação e de obscuridade para que a experiência possa surpreender o investigador e obrigá-lo a redefinir os contornos de suas ideias iniciais. Desse confronto permanente, desse *trabalho* de determinação recíproca entre o abstrato e o empírico, decorre o caráter *convencional* do significado (*Bedeutung*) que será atribuído aos futuros conceitos. Até aqui, não custa lembrar, Freud está falando da relação entre ideias abstratas amplamente indeterminadas e material empírico: não se trata ainda de conceitos. A rigor, só podemos falar propriamente de conceitos após esse trabalho recíproco exaustivo através do qual ideias indeterminadas são constantemente referidas e confrontadas ao material clínico. Apenas nesse momento caberia falar em conceitos, cujo estatuto convencional é reiterado. Apenas depois disso cabe ousar defini-los. Aliás, um dos traços marcantes do investigador Freud, que "denuncia a presença do escritor na raiz de sua obra", é sua "tolerância à incerteza e à contradição própria aos fenômenos psíquicos" (CARONE, 2009, p. 123).

Qualquer leitor que tenha um mínimo de familiaridade com a história do pensamento freudiano saberá reconhecer este duplo aspecto de seu trabalho: ao mesmo tempo que zela, com rigor inflexível, pelos princípios fundamentais garantidores da identidade epistemológica da Metapsicologia e da especificidade ética da clínica psicanalítica, Freud é também aberto a reformulações, oriundas principalmente de alguns insucessos clínicos. Não custa lembrar que os principais casos clínicos publicados por Freud são casos paradigmáticos de erros ou de insucesso que exigiram reformulações técnicas ou teóricas. A história do próprio conceito de pulsão mostra esse duplo aspecto: embora reformulações importantes tenham sido efetuadas, como, por exemplo, a substituição do dualismo pulsão de autoconservação/pulsão sexual pelo dualismo pulsão de vida/pulsão de morte, os componentes principais do conceito de pulsão permaneceram suficientemente sólidos para que não se dissolvessem, por exemplo, numa teoria genérica da libido. Mas retomemos o fio da argumentação freudiana em sua carta epistemológica do texto de 1915.

Aquelas "ideias abstratas" que apenas são erigidas como conceitos depois de longo processo de maturação, diz Freud, nunca são aleatórias, porquanto dependem de um certo faro do pesquisador, de um certo tato... É isso que distingue, ousamos acrescentar, um fundador de discursividade, como ele próprio, dos cientistas ordinários que fazem progredir a ciência normal, no interior de um paradigma dado, sem no entanto romper ou criar novos paradigmas. Nesse momento, Freud afirma que o cientista, antes de ser capaz de reconhecer e demonstrar, parece adivinhar (*erraten*) alguma correlação significativa entre aquelas ideias abstratas e o material

empírico. *Erraten* é um verbo bastante genérico, que pode ser traduzido por adivinhar, intuir, supor, etc. Ora, nenhuma dessas virtudes parece constar nos manuais de metodologia científica, nem parece coadunar com a imagem que um cientista gosta de fazer acerca de seu próprio método de trabalho. Não estaria Freud incorrendo numa visão romantizada da atividade científica ao atribuir tão decisivo papel a essa errância em sendas aquém da razão? Que lugar poderia ocupar o *erraten* na economia do pensamento freudiano?

O próprio Freud, em correspondência a Fliess, chega a associar *phantasieren* e *erraten*, ao descrever sua entrega febril à escrita do *Entwurf* (1895): "todas as noites, entre 23 e 2 horas, não fiz outra coisa senão fantasiar (*phantasieren*), traduzir (*übersetzen*), adivinhar (*erraten*) – para só me interromper quando esbarrava com algo absurdo ou me sentia exausto" (FREUD *apud* ASSOUN, 1983, p. 104).[10] Note-se que as atividades de *fantasiar* e *adivinhar,* assim como a de *traduzir,* estão ligadas entre si e estão ligadas ao próprio ato de teorizar, de modelizar segundo conceitos. Note-se também que não há nenhuma apologia da "adivinhação" ou da fantasia como procedimento de pesquisa ou de prova científicas. Em todo caso, em sua descrição da frenética escrita de um de seus mais importantes textos, Freud mobiliza um léxico que escapa não apenas à metodologia das ciências da natureza, como talvez até mesmo ao paradigma da representação e do entendimento. No limite, descreve, com invejável honestidade intelectual, seu estilo como pesquisador, como investigador, seu processo de escrita. Indissociável de sua prática clínica, a atividade metapsicológica – a construção de hipóteses, a projeção de modelos teóricos e a escrita de conceitos, etc. – é um processo extremamente complexo. Esse processo envolve

não apenas ampla confrontação ao material clínico, a sonhos e demais fenômenos, mas também o inconsciente do próprio pesquisador. Nisso a fantasia exerce papel decisivo.

É quase impossível, neste ponto, não lembrar uma célebre passagem escrita 40 anos mais tarde. Em *Análise terminável e interminável*, de 1937, quando Freud afirma que "sem especulação e teorização metapsicológicas – quase diria: fantasiar (*phantasieren*) – não se consegue avançar sequer um passo adiante" (FREUD, G.W., t. XVI, p. 69). Em alguma medida, a dimensão especulativa ou imaginativa da fantasia entra em cena: é o desejo do analista que permite avançar.[11] Pois o desejo do analista está instalado no coração da Metapsicologia.[12] Por esse motivo, mesmo quando a especulação metapsicológica se "enche de objetividade", ela não anula sua marca de origem (cf. ASSOUN, 1983, p. 107).[13] Mas qual a relação entre fantasia e desejo inconsciente? E como isso se articula à construção de conceitos em Psicanálise?

O quadro parece se complicar um pouco se lembrarmos que fantasiar é uma atividade que Freud atribui em primeiro lugar ao poeta (e não, obviamente, ao cientista). Em *O poeta e o fantasiar*, afirma que as relações da fantasia com o tempo são significativas: "uma fantasia paira entre três tempos, os três momentos temporais da imaginação" (FREUD, 2012, p. 272). A fantasia está ligada, pois, à imaginação. Os elos dessa modalidade muito especial do fantasiar com a atividade de produção de conhecimento ficam cada vez mais claros: fantasiar liga-se ao *erraten* porque ambos estão ligados à faculdade da imaginação. E a imaginação, por sua vez, é basicamente uma atividade temporal: "Ou seja, passado, presente e futuro se alinham como um cordão percorrido pelo desejo" (p. 272). Não se trata, todavia, de qualquer desejo: na fantasia poética o que

está em jogo são, sobretudo, os desejos insatisfeitos, que funcionam como "forças impulsionadoras" (*Triebekräfte*) (p. 271). O poeta, conclui Freud, de certa forma nos impele a "gozarmos com nossas fantasias sem censura e sem vergonha" (p. 276). Talvez esse seja um elemento importante que permite ao cientista-poeta "adivinhar", antes mesmo de reconhecer ou demonstrar, a correlação entre ideias abstratas e o material empírico. Porque o poeta, como o psicanalista, é justamente quem conhece por dentro "a instransponível sabedoria da língua" (p. 273). Não é por acaso que em tantas ocasiões Freud debruça-se sobre o saber depositado no espaço da língua: quando envereda por esforços etimológicos, quando estuda mitos, folclores e ditos populares, quando destrinça a formação de palavras num sonho ou num ato falho, etc. São camadas e camadas de sentido sedimentado que se descortinam. Talvez essa seja uma das razões por que os assim chamados textos sociológicos ou antropológicos, como *Totem e tabu* ou o *Mal-estar na cultura*, sejam ao mesmo tempo textos decisivos para a clínica. O "convencionalismo" epistemológico de Freud encontra aqui um de seus principais substratos. Mas como combinar tais asserções com a pretensão epistêmica de Freud?

Toda a formação científica de Freud foi realizada no ambiente duro do fisicalismo alemão, que deixou marcas profundas em sua maneira de trabalhar. Mas, muito precocemente, Freud percebeu que a natureza do material empírico da Psicanálise exigiria do pesquisador algumas habilidades não aprendidas em laboratório. Já em 1895, mesmo ano em que redige o *Entwurf* – seu último esforço de descrever em vocabulário exclusivamente naturalista sua teoria do aparelho neuronial –, escreve também os *Estudos sobre a histeria*. Na discussão do caso Elisabeth, ele

se surpreende, ou finge se surpreender, com o fato de que as histórias contadas pelas pacientes (*Krankengeschichten*) deveriam ser lidas pelo analista muito mais como romances (*Novellen*). Chega mesmo a afirmar:

> Nem sempre fui psicoterapeuta, mas fui antes ensinado a empregar diagnósticos locais e eletroprognósticos tal como fazem outros neuropatologistas, e ainda me afeta de modo particular perceber que os relatos de casos que escrevo pareçam ser lidos como romances e que, por assim dizer, alegadamente prescindiriam da marca de seriedade da ciência. Tenho de consolar-me com o fato de que a natureza do assunto é evidentemente mais responsável por isso do que minhas preferências pessoais; o diagnóstico local e as reações elétricas simplesmente não são válidos no estudo da histeria, ao passo que uma apresentação [*Darstellung*] aprofundada dos processos psíquicos, tal como a que estamos habituados a receber do poeta [*Dichter*], permite-me, pelo uso de algumas poucas fórmulas psicológicas, obter certa compreensão no acompanhamento de uma histeria (G.W., t. I, p. 227).[14]

Em outros termos: desde o início, Freud estava advertido quanto à necessidade de forjar um método próprio, que transitasse entre registros discursivos diversos: era preciso combinar pelo menos o rigor conceitual do cientista natural com o rigor formal do poeta. Não custa lembrar: não se trata aqui de um elogio romântico a uma suposta oposição entre a liberdade da poesia e a rigidez da ciência. Ao contrário, a tarefa do analista consiste em *ler* os relatos clínicos como romances, com todo o rigor formal que é exigido pela própria apresentação do material. Convém não confundir rigor e rigidez. Ler os relatos clínicos como romance: a objetividade do fato clínico depende de sua construção formal, através da escrita. Voltaremos a isso.

Retomemos, uma vez mais, o fio do argumento freudiano. Nas últimas linhas daquele prestigioso parágrafo epistemológico de 1915, Freud insiste que o progresso do conhecimento não tolera nenhuma rigidez nas definições. Note-se que, nessa passagem, Freud refere-se a conhecimento (*Erkenntnis*), termo mais genérico, e não apenas à ciência (*Wissenschaft*). O parágrafo termina com uma alusão às recentes transformações da Física moderna, que ensinam de forma brilhante, fulgurante que mesmo os conceitos fundamentais precisam passar por constante reformulação. É, efetivamente, o que estava acontecendo com os conceitos da Física, quando uma série de estudos colocava em xeque a mecânica clássica. Destacam-se, nesse contexto, os trabalhos de Einstein, que a partir de 1905 começou a publicar os resultados de sua teoria da relatividade restrita, que modificaria conceitos fundamentais como massa, energia, tempo, etc.;[15] e de Ernst Mach, um cientista que como poucos teve impacto na cultura de seu tempo e que já fazia parte do imaginário científico de Viena na virada do século.[16] Numa de suas mais célebres sentenças, Mach chegou a afirmar que "o Eu não pode ser salvo" ("*Das Ich ist unrettbar*"). Mais uma vez, vale lembrar que a epistemologia freudiana é uma epistemologia que leva em consideração a prática efetiva dos cientistas e a história concreta das ciências. Isso o imuniza quanto à obediência cega a cânones metodológicos rígidos e a protocolos normativos de cientificidade. Sua fidelidade pende, evidentemente, para o objeto ao qual sua ciência se consagra, para a especificidade do material clínico da Psicanálise.

A carta epistemológica de Freud não deixa de ser endereçada também ao poeta: a constituição do fato clínico é de natureza narrativa.

UMA CIÊNCIA DA NATUREZA SEM NATUREZA?

Embora atento à realidade contraditória de seu objeto teórico, Freud manteve intactas suas pretensões de inscrever a Psicanálise no campo das *Naturwissenschaften*, ainda que tenha subvertido alguns de seus cânones metodológicos mais importantes e forjado um léxico próprio que em muito ultrapassava o vocabulário científico disponível à época. Dono de um estilo límpido, merecedor do prêmio Goethe pelas qualidades literárias de sua prosa, recusou veementemente que sua doutrina fosse identificada à literatura, embora nunca tenha deixado de recorrer aos seus poetas e romancistas preferidos, ali onde a cadeia de razões parecia encontrar seus limites. O resultado é uma curiosa combinação de pretensão epistêmica repousada no modelo naturalista da ciência e de confiança inabalável no valor cognitivo e heurístico da ficção e do mito. Tudo isso porque diante daquilo que não se deixa dizer, ou não se deixa dizer segundo a linguagem protocolar da ciência, Freud nunca recuou. Nunca recuou especialmente no que concerne à especificidade de sua prática. Vale aqui, como uma espécie de divisa epistemológica fundamental, a seguinte frase: "se não pudermos ver com clareza, ao menos vejamos com precisão as obscuridades" (FREUD, G.W., t. XIV, p. 155).[17] Mas qual o estatuto do recurso freudiano à ciência? Freud, não raras vezes, insiste acerca da vocação científica da Psicanálise. Mais do que isso, não admite que essa vocação seja cultivada senão no solo das ciências da natureza. Como entender isso? Um breve recurso ao contexto epistemológico da época do surgimento da Psicanálise pode ser instrutivo.

A querela dos métodos é aproximadamente contemporânea do surgimento da Psicanálise. Surgida um pouco

antes, na segunda metade do século XIX, ela ganha seu estatuto teórico com Dilthey, a partir da publicação em 1883 da *Introdução às ciências do espírito*. No alvorecer do pensamento de Freud, a querela está em plena efervescência. E continua viva durante toda a constituição dos conceitos fundamentais da Psicanálise. Apesar de não pretendermos aqui entrar nos pormenores desse debate, será preciso descrever suas linhas gerais. Com a emergência das "ciências humanas", no século XIX, surge o problema do estatuto a ser conferido a elas. De uma maneira muito esquemática, podem-se caracterizar duas atitudes básicas. Uma pode ser bem representada por Dilthey ou por Jaspers (dualismo epistemológico), outra por Comte ou pela escola fisicalista alemã de Helmholtz a Mach (monismo epistemológico). Dilthey é o primeiro pensador a conceber uma epistemologia para as ciências do homem autônoma em relação à epistemologia das ciências da natureza. Assim, é a heterogeneidade entre as *Naturwissenschaften* e as *Geisteswissenschaften* que alimenta sua reflexão. Heterogeneidade essa determinada pelo objeto do qual se ocupam. As ciências da natureza se ocupariam de uma parte da realidade, de um lote da vida, que o homem não criou: idêntica a si mesma, a natureza pode ser medida, calculada. Fundadas na observação e na descrição imparcial de fatos, as ciências naturais teriam garantido seu estatuto. Da Física matematizada se tomariam de empréstimo os modelos de rigor e cientificidade, assim como os instrumentos de quantificação dos dados colhidos na fase experimental. Já as ciências do espírito[18] se ocupariam do meio prático da vida, do mundo criado, habitado e transformado pelo próprio homem, isto é, as sociedades, a história e os indivíduos. Morada do tempo, lugar do devir, o objeto das *Geisteswissenschaften* exigiria outro método. Categorias

como historicidade, significação e interpretação, advindas seja da História, da Filologia, seja da Teologia, passam a ser alternativas ao modelo matemático e ao método experimental. Por conseguinte, é a partir da definição do *objeto* da ciência, isto é, a partir de sua sustentação ontológica, que Dilthey distingue ciências da natureza e ciências do espírito. Já para Jaspers a antinomia se dá basicamente no terreno dos métodos. É bastante conhecida a fórmula: *explicação* para a natureza, para o espírito *compreensão*. Para cada objeto um método, para cada método um objeto.

A outra atitude básica frente ao problema da cientificidade das ciências humanas no século XIX pode ser representada, na Alemanha, pela escola fisicalista e, na França, por Comte. O juramento fisicalista, pedra angular da escola helmholtziana, pode ser reduzido a seu postulado fundamental de "que somente as forças físicas e químicas, com exclusão de qualquer outra, agem no organismo" (ASSOUN, 1983, p. 54). Paul-Laurent Assoun examina com riqueza de detalhes as relações entre Freud e a tradição positivista alemã. Freud não escolhe ciências da natureza *contra* ciências do espírito. Ele recusa a questão. Quer mostrar que a alternativa não existe; que *Naturwissenschaft = Wissenschaft*. Sua insistência um pouco teimosa em rotular sua ciência de *Naturwissenschaft* decorreria da espontaneidade de sua prática científica. Não obstante, é difícil avaliar qual o estatuto dessas asserções freudianas.[19] Principalmente se levarmos em conta que a obra efetivamente produzida por ele escapa a maior parte do tempo da maioria dos constrangimentos impostos pelo fisicalismo. Poderíamos arriscar a dizer que a Psicanálise é, para Freud, *uma ciência da natureza sem natureza*. A distância que separa a fonte e o objeto da pulsão mostrará isso com clareza.

De toda forma, as marcas dessa longa frequentação de Freud no ambiente de formação naturalista são profundas em sua investigação. Herdeiro de tradições heterogêneas e conflituosas, como a psiquiatria alemã, que lhe inspirava o faro psicopatológico, e a psiquiatria francesa, que lhe fascinava pela prática clínica, Freud não tardará a perceber que a especificidade de *sua* "psicologia" exigirá uma nomeação própria: Metapsicologia. Da anatomia que ocupou os primeiros e decisivos anos em que trabalhou no laboratório de Brücke à tópica, o caminho não se fez sem que se consolidassem certos "modelos de pesquisa" e se fixasse um "espírito de rigor" (ASSOUN, 1983, p. 116; p. 117). Com a técnica anatômica, ele aprendera não apenas a aprimorar a observação, mas a *constituir* o próprio objeto. Assim, com a pesquisa científica, Freud incorpora primeiramente uma técnica em que "o *procedimento* é uma verdadeira categoria heurística. Não constitui apenas um auxiliar da *démarche*, mas sua formalização" (p. 122). Pouco tempo depois, na Paris da Salpêtrière e de Charcot, Freud ficará fascinado por esta "outra *téchné,* que é a clínica" (p. 127): o encontro com Charcot produz este "desregramento fecundo na prática regulada e supercodificada de Freud" (p. 129). De sua prática científica, Freud conserva "esse fanatismo obstinado do fato enquanto tal", agora transferido para "o sintoma, material da objetividade clínica" (p. 128). Ao caracterizar esse quadro epistemológico complexo que incide na "indeterminação dramática" da Metapsicologia, P.-L. Assoun escreve um parágrafo hábil sobre o que chamou de "barroco" epistemológico de Freud:

> [...] não hesitemos em falar de *barroco epistemológico*. Se é verdade que o barroco é o encontro de estilos heterogêneos compostos numa totalidade onde cada heterogeneidade é constituinte, podemos muito bem

falar de barroco, na medida em que a epistemologia freudiana opera nas fronteiras de tradições estrangeiras. Contudo, se o barroco constitui, por si só, a emergência de um estilo novo que não esgota a soma de seus componentes, profundamente original, ainda é a esse título que a psicanálise se institui como barroco epistemológico (p. 135).

Temos que ler essas declarações acerca do barroquismo freudiano *cum grano salis*. De todo modo, como continua o autor,

> [...] a analogia estética não é fortuita: num certo sentido, é a um trabalho de *artista* que doravante se entrega Freud. Está em condições de forjar com suas próprias mãos um dispositivo novo, de fundar uma prática que perdeu suas origens. Doravante vaga sobre uma jangada sem rumo, para longe dos portos oficiais da ciência instituída; mas foi em alto-mar que aprendeu a navegar, que forjou seus instrumentos de orientação. Trata-se menos de negá-los que de adaptá-los a espaços novos (p. 135).

O ponto a ser ressaltado é que o "fanatismo" freudiano com relação ao "fato enquanto tal", herança de sua formação científica, transforma-se em uma obsessão pelo *fato clínico*, com todas as idiossincrasias que esse "fato" comporta. Efetivamente é a um trabalho de artista que Freud se entrega na composição a muitas vozes de sua Metapsicologia. No que concerne à objetividade do material clínico, Freud nunca abriria mão desse postulado em nome de algum ideal de ciência ou de método privilegiado. É claro que essa objetividade é bastante incomum: insubmissa a controle experimental, singular, refratária ao sentido, constituída através da fala do paciente e da escuta do analista, ela é, contudo, o ponto de partida e o ponto

de chegada da teorização e da formalização psicanalítica. Essa objetividade do fato clínico, tão prezada por Freud, não deixa também de guardar um sentido problemático. O que é o fato clínico enquanto tal? O "fato clínico enquanto tal" é, no fim das contas, também um fato linguístico, um fato discursivo: ele supõe a fala do paciente e a escuta do analista. Portanto, não são poucas as mediações inerentes ao patenteamento da objetividade e verdade do material clínico. Como dissemos acima, a constituição do fato clínico depende de uma estratégia de *leitura* do material clínico e da construção narrativa ou formal desse mesmo material. Aqui Freud evoca, não poucas vezes, as virtudes do poeta ou do romancista como paradigma.

Não obstante, desde que tomemos a palavra "experiência" em toda sua espessura, não seria totalmente inexato pensar o espaço do consultório como uma espécie de laboratório,[20] por diversas razões. Enumero apenas as mais salientes: há um *corte* com relação ao espaço da vida cotidiana; uma suspensão das regras de conversação socialmente prescritas; mas principalmente porque há, igualmente, algo como uma suspensão das significações do discurso comum em favor de significações até certo ponto privadas, o que enseja algo como uma construção artificial de uma espécie de linguagem privada. Com efeito, obedecer apenas à regra fundamental da associação livre produz, quase diria artificialmente, o inconsciente, que se projeta contra o fundo do caráter público da linguagem compartilhada. Se é verdade que a linguagem consiste em, como dizia Wittgenstein, "seguir regras", o discurso analítico depende dessa suspensão das regras socialmente compartilhadas. Talvez por isso o silêncio do analista ainda cause tanta surpresa. Nesse sentido, todo o material produzido no interior da experiência analítica está

submetido, de saída, às condições específicas desse próprio discurso. O "fato clínico enquanto tal" depende de tais condições. Freud sempre esteve absolutamente cônscio dessas dificuldades e possibilidades. Vejamos dois ou três exemplos da constituição formal da objetividade analítica.

Na *Interpretação do sonho* (1900), o material estudado são sonhos de seus pacientes e muitos sonhos dele próprio. Freud descobre, também muito rapidamente, que seria impossível dissociar a atitude do investigador imparcial e a preocupação narrativa, que dá forma ao próprio relato do sonho. A objetividade do relato do sonho depende do talento formal do narrador, porquanto os processos psíquicos estudados pelo psicanalista estão em pleno funcionamento no próprio ato de relatar o sonho, de compor o objeto de investigação.[21] Algo similar ocorre em suas ilustres análises do mecanismo dos chistes. Freud expõe o resultado de suas análises não apenas com a linguagem conceitual, mas empregando diagramas que *mostram* de maneira concisa e econômica o que de outra forma não poderia ser demonstrado. Uma mostração que não é mera ilustração, mas é parte da própria formalização do que está em jogo no mecanismo do chiste. Ela é estruturante, na medida em que constitui o objeto no mesmo ato de apropriar-se dele. E por essa razão faz parte do conteúdo não parafraseável da teoria, em que a apresentação do discurso e a constituição do objeto convergem ao máximo. Refiro-me aos exemplos de chiste que Freud escolhe como paradigmáticos. Os chistes preferidos por Freud, aqueles em que a análise se prolonga mais detidamente e que passam a ter valor paradigmático para novos materiais, guardam uma peculiar característica em comum. Por exemplo: a análise da composição da palavra "familionário", em si mesma desprovida

de sentido, gravita em torno do "quadro diagramático" proposto por Freud em sua primeira e exemplar análise de um chiste. Decomposta em duas palavras, "familiar" e "milionário", que se fundem depois de que a segunda consegue êxito em "rebelar-se contra sua supressão", o procedimento analítico logra mostrar sua eficácia mesmo para aquele que não sabe alemão. Para tanto, Freud faz uso de uma certa *disposição* das palavras na página, de uma *fragmentação* de seus elementos constitutivos a fim de exibir da maneira mais concreta e mais visual possível o resultado do processo de redução da técnica formal que resultou na expressão do chiste. O que no chiste é irredutível não conduz, portanto, à resignação silenciosa e à deposição de armas, mas, antes, à invenção de um novo método de análise para o objeto recém-constituído. Nesse processo de constituição concorrem, mais uma vez, habilidades próprias aos cientistas e habilidades poéticas. Porque, se por um lado, Freud tem razão em reclamar que a terminação "análise" da palavra "Psicanálise" deva ser compreendida como "fracionamento", "decomposição", em analogia com o trabalho efetuado pelo químico com as substâncias (cf. FREUD, 1918; REGNAULT, 2001, p. 36-38), por outro lado, algumas de suas análises guardam fortes afinidades com procedimentos formais como os que desempenham algum papel na poesia, como demonstra o exemplo dos chistes, acima referido.

Ainda um último exemplo. No que concerne à clínica, o problema aparece de modo ainda mais agudo. Todo o material é obtido sob transferência. Muitos críticos da Psicanálise se comprazem em recusar a sua cientificidade porque, entre outros pecados, os dados obtidos pelo investigador são obtidos em ambiente não controlável,

não replicável, etc., e segue a ladainha. Freud não apenas está bastante cônscio dessa dificuldade, como também descreveu a figura do investigador e do analista como indissociáveis. Indissociáveis ainda do escritor: com efeito, os casos clínicos publicados por Freud mobilizam procedimentos narrativos que são constituintes do material factual analisado. Aqui, o cientista e o escritor não só coexistem, até certo ponto, mas também se fundem numa sofisticada atividade de formalização do material clínico.

HISTÓRIA DA PULSÃO E A DESMITOLOGIZAÇÃO DO MÉTODO CIENTÍFICO

A história do conceito de pulsão coincide com a história dos vários modelos epistemológicos, i.e., dos regimes discursivos e procedimentos de formalização mobilizados por Freud no esforço de torná-la pensável. Em outras palavras, uma história do conceito de pulsão é também uma história das crenças epistemológicas de Freud e de suas expectativas com relação à ciência. Se certas ideias abstratas de alguma maneira prefiguraram o conceito, funcionando como seu étimo epistemológico, como vimos acima, os lugares de onde Freud toma de empréstimo tais ideias gerais são variados. Uma história do conceito de pulsão na obra de Freud certamente deverá mostrar como essas diversas fontes de onde tais ideias abstratas são retiradas vão da Psicofísica à mitologia-científica, tendo como epicentro a própria Metapsicologia. O estatuto mesmo da Metapsicologia covaria entre esses polos. É claro que desde as primeiras ocorrências prepondera o modelo naturalista herdado de nomes como Brücke, Herbart e Fechner. É esse modelo que empresta inteligibilidade ao esquema geral que configura antecipadamente a maneira

através da qual Freud irá pensar a pulsão. Não é difícil notar, todavia, mesmo nesse momento inaugural, o caráter altamente especulativo dessa apropriação:[22] a língua da Psicofísica ainda não deixa de ser, em alguma medida, metafórica. Além disso, insisto, desde o início, a rede conceitual nutre-se de um material empírico configurado segundo modelos formais tomados de empréstimo muito mais ao romance ou ao poeta.

A primeira ocorrência do *Trieb* freudiano aparece no célebre artigo publicado postumamente, o *Entwurf einer Psychologie,* conhecido entre nós como *Projeto para uma psicologia*, redigido em 1895 e endereçado a Fliess. Desde a primeira formulação da pulsão, as principais características atribuídas por Freud são o caráter constante da excitação interna e a impossibilidade que tem o aparelho psíquico, aqui ainda descrito em vocabulário fisicalista, de fugir ao estímulo corpóreo. Se lembrarmos o esquema proposto em 1895, temos o seguinte quadro. O aparelho psíquico, ou, mais precisamente, o aparelho neuronial está "exposto sem proteção" às pulsões oriundas do elemento somático, e nisso "reside a mola pulsional [*Triebfeder*] do mecanismo psíquico" (FREUD, 1895, p. 30). Desse modo, o registro das pulsões é anterior ao registro psíquico, e só conhecemos o elemento precipitado, o elemento derivado, das pulsões. O "impulso que sustenta toda a atividade psíquica" é relativo ao abandono do aparelho psíquico à somação das pulsões. "Conhecemos esse poder como *vontade*, o derivado das *pulsões*" (FREUD, 1895, p. 31).

O aparelho é "sem-defesa", "sem-proteção" em relação à pressão exercida por somação pelo elemento corpóreo. Trocando em miúdos: nosso aparato mental dispõe de dispositivos de proteção em relação aos estímulos exógenos: diante de um clarão, basta fechar os olhos;

diante de um som ensurdecedor, basta tapar os ouvidos ou afastar-se da fonte de emissão sonora. O que Freud muito precocemente demonstra é que no que concerne aos estímulos provenientes do interior do organismo, como a fome ou a sexualidade, não existe rota de fuga ou tela de proteção. Ao pensar essa impossibilidade estrutural de escapar ao estímulo corpóreo, Freud formula o conceito de pulsão. A centralidade que a sexualidade ocupa na Psicanálise decorre disso. Essa primeira formulação é realizada no interior do último grande esforço freudiano de descrever seus achados clínicos em termos naturalistas, oriundos da Psicofísica de Fechner, referência assumida reiteradamente por Freud. Os postulados principais dessa Psicofísica dizem respeito à continuidade entre as leis gerais do movimento e as leis particulares do movimento de energia psíquica. Muito em breve, esse vocabulário naturalista será abandonado em favor de conceitos forjados no interior do que mais tarde será chamado de Metapsicologia. No entanto, Freud está longe de abandonar ou mesmo de renegar tais postulados.

Vale lembrar que, como o *Entwurf* permaneceu inédito durante a vida Freud, a primeira apresentação sistemática do conceito de pulsão foi realizada em 1905, nos famosos *Três ensaios sobre a sexualidade*. De certa forma, os principais componentes do conceito são apresentados ali, desta vez em linguagem metapsicológica, e não mais fisicalista. É sobretudo no contexto do estudo da sexualidade infantil, assim como no das perversões sexuais, que Freud formula o conceito de pulsão. Alguns de seus componentes fundamentais serão apresentados aqui pela primeira vez: uma pulsão compõe-se de três elementos: fonte, meta e objeto. Apenas em 1915 será introduzido o quarto elemento, a *Drang*. No que concerne à fonte pulsional, o essencial havia

sido formulado desde o *Projeto*: o aparelho não tem como escapar dos estímulos sexuais. Em 1905, Freud acrescenta um importante estudo acerca das diversas transformações quanto à predominância das fontes pulsionais, de acordo com a proveniência das diversas zonas erógenas, e suas eventuais fixações. Quanto às metas, elas são múltiplas, ligando-se ao caráter sempre parcial da pulsão. Finalmente, os objetos são variáveis e não estão inscritos em algo como uma suposta natureza humana ou norma instintiva. É a própria ideia de natureza, mais precisamente a ideia de que haveria vínculos naturais entre fontes de excitação somática e suas respectivas metas e objetos, que explode. Apenas a história contingente da vida de um sujeito, seus encontros e desencontros, é capaz de determinar os destinos da satisfação pulsional. Nesse sentido, a ciência natural de Freud prescinde do conceito de natureza e os contornos normativos que frequentemente o envolvem.[23]

Durante os anos seguintes, a reflexão metapsicológica acerca das pulsões atinge seu auge com o texto que o leitor tem em mãos: *As pulsões e seus destinos*. A história subsequente dos *Triebe* conduz-nos a uma reflexão cada vez mais autoconsciente de seu caráter especulativo. Não se trata, todavia, de uma especulação qualquer.[24] No quarto capítulo de *Além do princípio do prazer* (1920), qualifica de uma especulação forçada (*oft weitausholende Spekulation*) pelo material clínico. Quando, em 1920, Freud reformula o dualismo pulsional para introduzir o conceito de pulsão de morte, ele volta a insistir que o conceito de pulsão é o mais importante e o mais obscuro (*das dunkelste Element*) dos conceitos psicanalíticos. Mais de uma vez, admite a insuficiência da ciência para dar conta da sexualidade, incapaz de lançar luz nas regiões obscuras, limítrofes da sexualidade pulsional. A realidade contraditória e insensata

desta termina por forçar o investigador a lançar mão de recursos de outra natureza. Talvez esse seja o ponto sensível de toda essa trama. O que a psicanálise freudiana introduz é a radical ausência de sentido do sexo. Badiou tem razão em afirmar que

> [...] a singularidade de Freud é que o face a face com o sexual não é da ordem do saber, mas da ordem de uma nomeação [*nomination*], de uma intervenção, disso que ele chama "uma discussão franca", que precisamente busca desvincular os efeitos do sexual de toda apreensão puramente cognitiva e, consequentemente, de todo poder da norma (BADIOU, 2005, p. 107).

Nesse sentido, pensar *uma verdade desvinculada do sentido* ultrapassa toda e qualquer metodologia científica, embora possa ser algo trivial aos olhos de um poeta ou de um mitólogo. Não por acaso, ao longo de *Além do princípio do prazer*, Freud apoia-se nos poetas em pelo menos quatro ou cinco ocasiões, e admite o caráter mítico de suas hipóteses, emprestadas, entre outros, de Platão. E quando recorre a Platão, o "filósofo-poeta" (FREUD, G.W., t. XIII, p. 63), é para tomar de empréstimo não sua filosofia, mas um mito relatado no *Banquete*, pela boca de Aristófanes. O mito em questão narra a origem da pulsão sexual a partir da divisão de uma substância única e sexualmente indiferenciada que, uma vez cindida, passa a procurar pela metade perdida. Não é o momento de detalhar essa discussão. O que interessa aqui é que, surpreendentemente, na página seguinte, Freud justifica o recurso ao mito como um expediente que permite levar o pensamento o mais longe possível por "simples curiosidade científica" (p. 64)!

Aqueles que acusam a Psicanálise de ser um mito[25] e não uma ciência esquecem-se de que o próprio Freud foi o primeiro a declarar que "a doutrina dos *Triebe* é, por

assim dizer, nossa mitologia. Os *Triebe* são entes míticos, grandiosos em sua indeterminação" (FREUD, 1933/1999, p. 101). Vale sublinhar: as pulsões são entes míticos, grandiosos *porque* indeterminados. Se nos lembrarmos agora da carta epistemológica de 1915 comentada acima, tudo girava em torno de uma certa tolerância à parcial indeterminação semântica dos conceitos fundamentais da própria ciência. De algum modo, naquele momento, Freud por pouco não se desculpa com o leitor quanto à necessidade de tolerar o caráter algo obscuro de um conceito tão fundamental quanto o de pulsão. Em 1933, ao contrário, quando finalmente forja a expressão mitologia-científica, não há nada que deva ser desculpado. Ao contrário, é justamente a indeterminação que investe o conceito de pulsão de valor ontológico: as pulsões são *entes* míticos.[26]

Se é verdade que Freud nunca cede quanto à vocação científica da Psicanálise, o que aliás lhe custou a censura de nomes tão distantes como Wittgenstein e Ricoeur, sua atividade, entretanto, nunca foi refreada por dificuldades de ordem metodológica. Para ele, "ciência" não se confunde com "metodologia científica"; donde seu recurso a dispositivos e procedimentos pouco recomendados, até mesmo interditados, pela boa tradição científica de seu tempo. Tomemos como exemplo o papel do mito, que, no centro de sua conceitualização, demonstra o quanto ele estava à vontade com relação aos limites da *Naturwissenschaft*. Ainda que pudéssemos estabelecer a base biológica da pulsão, permaneceria o enigma da transição entre a fonte biológica e sua representância psíquica. A transposição desse hiato exige o suplemento de hipóteses que extrapolam o âmbito das ciências naturais. Tal suplemento talvez possa ser correlacionado

ao papel do *phatasieren* evocado acima. Razão pela qual a teoria das pulsões é, como o próprio Freud admite, a "mitologia da Psicanálise": conceito fronteiriço, a pulsão inspira o oximoro de *mitologia-científica*. Não é por acaso que os conceitos freudianos que giram em torno da função do pai, agente primordial da regulação da satisfação pulsional, sempre fazem apelo a um além da ciência: o mito de Édipo, o mito do assassinato do pai primordial, o mito de Moisés. O mais instigante é que através dessa admissão do caráter híbrido da teoria das pulsões, entre ciência e mitologia, Freud logra um resultado importante, uma espécie de desmitologização do método científico. Essa desmitologização do método o obriga a inventar um dispositivo conceitual capaz de abrigar os fatos clínicos da Psicanálise numa estrutura bastante peculiar, a que ele deu o nome de "Metapsicologia".

Nesse sentido, um contraste talvez inesperado possa nos ajudar a visualizar um pouco melhor o que está em jogo nessa discussão. Segundo um certo princípio epistemológico, a obediência a cânones metodológicos da ciência estabelecida é inversamente proporcional à densidade ontológica do objeto descrito. Um exemplo simples pode auxiliar a compreender isso. A psicologia científica, aquela que alcançou seu *status* com o behaviorismo (Pavlov, Skinner), que se desenvolveu como psicologia cognitiva e que se autodescreve com a singela sigla de TCC, optou por seguir os cânones metodológicos da ciência positiva, das ciências experimentais, sem mais. Em suma: ciência é descrição de fatos observáveis, em ambiente experimental controlado e replicável, seguido de análise estatística de dados, etc. Assim, a única maneira de fazer uma "psicologia" que atendesse a tais critérios de objetividade era definir o objeto da psicologia como

sendo o "comportamento", porque o comportamento e apenas o comportamento pode, parece, ser observado empiricamente, sem interferência de teorias prévias, e as variáveis podem ser controladas, os dados podem ser analisados estatisticamente, etc. Todavia, esse sucesso metodológico depende da perda de toda a densidade ontológica do objeto descrito. Explico: todo o tecido complexo da vida psíquica de um sujeito é reduzido a seu aspecto comportamental e cognitivo. Tudo aquilo que não pode ser diretamente observável por um observador neutro, ou que não pode ser replicável, deve ser sumariamente excluído. Ora, o sofrimento subjetivo, um sintoma, raramente pode ser reduzido ao comportamento ou à cognição sem que se percam seus componentes mais importantes. Para contrastar, permito-me retomar a atitude freudiana acerca da ciência.

Freud, ao lidar com o sofrimento humano, caracterizou o sujeito como algo extremamente complexo, marcado por conflitos inconscientes e por uma dinâmica pulsional nada fácil de descrever objetivamente. Não é simples trabalhar com um objeto desse gênero, que, ao situar-se na discordância entre saber e verdade, atinge densidade ontológica máxima. Para fazer isso, Freud teve que abrir mão de obedecer a um modelo *prêt-à-porter* de ciência e acabou desrespeitando alguns de seus cânones.[27] No entanto, nunca abriu mão da vocação científica da Psicanálise, apenas forçou o método para dar conta do objeto. Por isso, acabou criando a Metapsicologia, estrutura conceitual da Psicanálise. Em suma: ali onde o método triunfa, o objeto perde em densidade. Lá onde a fidelidade ao objeto é máxima, o método precisa ser reinventado. É o que o sintagma "metodologia em ato" expressa com agudeza (TEIXEIRA, 2010).

METAPSICOLOGIA, ENTRE CIÊNCIA E ESTÉTICA

Parece haver, pois, na própria construção da Psicanálise freudiana, um componente "estético" importante que coabita com sua pretensão científica. Desde o recurso ao pensamento mítico como "fundamento" ou como "ponto de fuga" de sua teoria das pulsões e de sua teoria do pai até a reabilitação do elemento estético em sua prática discursiva: ali onde o conceito não pode mais expressar o objeto, ali onde os procedimentos argumentativos correntes se esgotam, ali onde a vocação científica da Psicanálise se defronta com o "umbigo dos sonhos" ou com *das Ding* ou com os *fueros*, Freud não recua. Ele não se furta a tomar seus poetas, seus dramaturgos ou alguma obra de arte em particular como suplemento às rasuras do discurso argumentativo, ainda que mantenha a clínica como principal vetor do discurso e principal "campo indutor de produção de conceitos" (SAFATLE, 2004, p. 113). Uma leitura atenta de Freud mostra que ele nunca deixou de engendrar este gigantesco *tour de force* que a escrita da Psicanálise exige: ultrapassar a interdição wittgensteiniana do silêncio para expressar, numa linguagem coerente, embora muitas vezes metafórica, mítica, analógica, as sutilezas e contradições de um objeto teórico que tem por natureza esse escapar por entre as malhas do conceito.

Freud não hesitou em invocar a bruxa, carinhoso apelido que ele mesmo dava à sua Metapsicologia. Pedro Heliodoro tem razão em afirmar que

> [...] se com o advento da noção de *Metapsicologia* poderíamos pensar finalmente em uma face de Freud, cujo comprometimento com o científico o afastasse dos símiles literários, vale aqui a já tão célebre comparação

feita pelo autor entre seu sistema teórico e a bruxa/ feiticeira (*Hexe*), personagem do *Fausto* de Goethe.

Trata-se, continua Tavares, do célebre passo em que, diante do leitor, Freud admite

> [...] sua dificuldade em se ater aos limites tradicionais da metodologia científica. Ali ele diretamente cita sem mencionar a fonte, subtendendo a familiaridade do leitor com a passagem do drama: "Deve-se, então, contar com a bruxa/feiticeira" (*So muss denn doch die Hexe dran*), ao que acrescenta, "a saber, a bruxa Metapsicologia" (*Die Hexe Metapsychologie nämlich*) (TAVARES, 2012, p. 1).

Esse caldeirão epistemológico de Freud muitas vezes levantou suspeitas, outra vezes exerceu enorme fascínio. Se sua obra hoje é uma referência em diversos campos, e não apenas na clínica psicanalítica, é justamente porque ele faz dialogar diversos discursos numa intrincada malha conceitual que torna visíveis, por ângulos e relevos os mais diversos, a subjetividade de nosso tempo. Sim, há um aspecto especulativo irredutível tanto na ciência quanto no mito e na escritura. E é esse elemento que as une. Contudo, mesmo quando mobiliza recursos provenientes dos mitos, dos poetas, do romance e da fantasia, Freud, no mesmo gesto, não abre mão de instalar, em alguma medida, a racionalidade da Psicanálise numa *interseção* com a racionalidade científica. Essa é a guerra particular de Freud. É claro que tudo depende dos contornos que podemos dar ao próprio conceito de razão. A geografia complexa dessa interseção é o que buscamos descrever minimamente aqui. Tal geografia modificou-se conforme fronteiras conceituais foram redesenhadas, a cada nova batalha epistêmica, a cada novo território conquistado.

Resta saber em que medida a centralidade do papel ocupado pela ciência nessa geografia não seria, de fato, mais uma ilusão. Em todo caso, como enfatizava Freud em *O futuro de uma ilusão*, ainda que a ciência fosse uma ilusão, ela não é da mesma natureza da ilusão religiosa. Porque a razão, mesmo tomada nessa acepção alargada que inclui o inconsciente, continua aberta à correção (FREUD, 1994 [1927], p. 196-197), e, assim, nos resguarda da servidão.

REFERÊNCIAS

ASSOUN, P.-L. *Introdução à epistemologia freudiana*. Rio de Janeiro: Imago, 1983.

BADIOU, A. *Le siècle*. Paris: Seuil, 2005.

CARONE, A. O tempo presente. *Artefilosofia*, Ouro Preto: Tessitura, n. 7, out. 2009.

CERTEAU, M. *História e psicanálise: entre ciência e ficção*. Belo Horizonte: Autêntica, 2011.

CETINA, K. K. *Epistemic Cultures: How the Sciences Make Knowledge*. Harvard: Harvard University Press, 1999.

COTTET, S. *Freud e o desejo do psicanalista*. Rio de Janeiro: Zahar, 1983.

DERRIDA, J. *O cartão postal: de Sócrates a Freud e além*. Rio de Janeiro: Civilização Brasileira, 2007.

DETIENNE, M. *A invenção da mitologia*. Rio de Janeiro: José Olympio, 1998.

FEYERABEND, P. *Contra o método*. São Paulo: Editora UNESP, 2007.

FREUD, S. *Projeto de uma psicologia* [1895]. Tradução de Osmyr Faria Gabbi Jr. Rio de Janeiro: Imago, 1995.

FREUD, S. O poeta e o fantasiar. Tradução de Ernani Chaves. In: DUARTE, R. *O belo autônomo: textos clássicos de estética*. Belo Horizonte: Autêntica, 2012.

128 OBRAS INCOMPLETAS DE S. FREUD

FREUD, S. *Briefe an Wilhelm Fliess 1887-1904* (1986). S. Fischer-Verlag, 1999.

FREUD, S. Triebe und Triebschicksale. In: *Gesammelte Werke – Chronologisch geordnet*. Frankfurt am Main; Fischer Verlag, 1999.

FREUD, S. *Neuroses de transferência: uma síntese* (manuscrito recém-descoberto). Organização de Ilse Gombrich Simiths. Rio de Janeiro: Imago, 1987.

FREUD, S. Eine Schwierigkeit der Psychoanalyse [1917]. In: *Gesammelte Werke – Chronologisch geordnet*. Frankfurt am Main; Fischer Verlag, 1999.

FREUD, S. *Les Voies de la Thérapie psychanalytique* [1918]. Paris: PUF, 1996. vol. XV. (Œuvres Complètes).

FREUD, S. *L'inquiétant* [1919]. Paris: PUF, 1996. vol. XV. (Œuvres Complètes).

FREUD, S. *Au-delà du principe de plaisir* [1920]. Paris: PUF, 1996. vol. XV. (Œuvres Complètes).

FREUD, S. *L'avenir d'une illusion* [1927]. Paris: PUF, 1994, vol. XVIII. (Œuvres Complètes).

FREUD, S. Neue Folge der Vorlesungen zur Einführung in die Psychoanalyse [1933]. In: *Gesammelte Werke – Chronologisch geordnet*. Frankfurt am Main; Fischer Verlag, 1999.

FREUD, S. *Gesammelte Werke – Chronologisch geordnet*. Frankfurt am Main; Fischer Verlag, 1999.

FREUD, S. *A correspondência completa de Sigmund Freud para Wilhelm Fliess*. Rio de Janeiro: Imago, 1986.

HAMBURGER, M. *A verdade da poesia*. São Paulo: Cosac & Naify, 2007.

IANNINI, G. *Estilo e verdade em Jacques Lacan*. Belo Horizonte: Autêntica, 2012 (2. ed., 2013).

IANNINI, G. Que reste-t-il de la verité? Du silence au mi--dire: Wittgenstein, Lacan. In: COELEN, Marcus *et al.* (Org.) *Jouissance et souffrance*. Paris: Campagne Première, 2012a.

JANIK, A.; TOULMIN, S. *A Viena de Wittgenstein*. Rio de Janeiro: Campus, 1991.

LACAN, J. *Escritos*. Rio de Janeiro: Jorge Zahar, 1998.

MACH, E. The Economy of Science in *The World of Mathematics*, volume III, Newman, 1988, p. 1759-1767.

MAHONY, P. *Freud as a Writer*. Nova Iorque: Yale University Press, 1987.

REGNAULT, F. *Em torno do vazio: a arte à luz da psicanálise*. Rio de Janeiro: Contracapa, 2001.

SAFATLE, V. *Grande hotel abismo*. São Paulo: Martins Fontes, 2012.

TAVARES, P. H. O vocabulário metapsicológico de Sigmund Freud: da língua alemã às suas traduções. *Pandaemonium Germanicum* (Online), v. 25, p. 1, 2012.

NOTAS

[1] O próprio Rilke celebrou a guerra ainda em 1914, muito embora sua "febre de guerra" tenha sido relativamente breve, conforme lembra Michael Hamburger, e ligada muito mais a um resíduo do culto ao herói romântico do que a algum tipo de patriotismo. O mesmo autor insiste ainda que a assim chamada "poesia de guerra" tenha sido essencialmente antibélica (HAMBURGER, 2007, p. 207-209).

[2] Sempre que não houver indicação em contrário, as traduções de Freud são de Pedro Heliodoro. Nestes casos, os textos serão referidos pela sigla G.W., indicando FREUD, S. *Gesammelte Werke – Chronologisch geordnet*. Frankfurt am Main; Fischer Verlag, 1999.

[3] À exceção do polêmico *Manuscrito sobre as neuroses de transferência...* Cf. FREUD, 1987.

[4] Sobre as transformações conceituais da física no século XX, cf. PATY, 2003.

[5] Para uma discussão mais detalhada do alcance e dos limites da crítica wittgensteiniana a Freud, permito-me remeter o leitor ao segundo capítulo de meu *Estilo e verdade em Jacques Lacan* (2012), bem como a sua versão mais concisa, publicada com o título: *Que reste-t-il de la vérité? Du silence au mi-dire: Wittgenstein, Lacan* (2012a).

[6] Em Filosofia das Ciências há uma célebre disputa entre partidários de uma concepção normativa do que a ciência deve ser e uma concepção descritiva. Partidários de concepções normativas costumam negligenciar a história efetiva de como os cientistas fazem suas descobertas e constroem conceitos ou, o que dá no mesmo, usam a História apenas para corroborar ou ilustrar suas normas metodológicas. É o que fazem autores como Carnap ou Popper. Por outro lado, descritivistas tendem a conceder maior relevância à efetiva História das Ciências. Não cabe aqui um debate técnico sobre o assunto, mas a epistemologia francesa, de modo geral, de Bachelard a Foucault, passando por Canguilhem e Koyré, conferem maior importância à História e tendem a ser menos normativistas. Talvez isso explique, pelos menos em parte, por que a questão da cientificidade da Psicanálise em solo francês teve menos dramaticidade ou um papel menos relevante na rejeição da Psicanálise do que teve nos países em que a epistemologia normativista prepondera.

[7] Freud é suficientemente genérico ao empregar o termo "ideias abstratas". É claro que a tentação do filósofo é a de equivaler tais "ideias abstratas" – que não provêm do empírico, mas que se impõem a ele – a suas próprias convicções e predileções. Um filósofo platônico poderá ver o recurso ao *eidos*, à própria razão, a princípios metafísicos gerais; um kantiano enxergará nisso, sem nenhuma dificuldade, o recurso ao transcendental; um hegeliano discordará e reconhecerá o trabalho do

EPISTEMOLOGIA DA PULSÃO   131

negativo próprio à linguagem; um estruturalista verá a estrutura da linguagem ou do discurso; um foucaultiano certamente recorreria à episteme; alguém poderia ver algo como a *Aufbau* – e assim por diante. O que nos interessa aqui é outra coisa, a saber, o modo pelo qual o próprio cientista modela sua epistemologia em função do objeto de sua ciência.

[8] Em termos estritamente epistemológicos, trata-se da célebre tese da impregnação-teórica (*theory-laden*) da observação. Em outros termos, toda observação é orientada por pressupostos, de natureza diversa, não empírica. A bibliografia sobre o tema é abundante. Foi defendida por autores como Duhem, Hanson, Kuhn, Feyerabend... Com efeito, essa tese já havia aparecido antes de Freud enunciá-la ou endossá-la: o livro de Duhem, por exemplo, data de 1905.

[9] Um convencionalista, como Mach ou Poincaré, diria que convenções são fruto do processo de aquisição de conhecimento da cultura. Pelo menos quanto a esse aspecto preciso, ao admitir o caráter "convencional" de alguns dos conceitos fundamentais da Metapsicologia, Freud alinha-se claramente a uma epistemologia convencionalista.

[10] Tradução modificada. P.-L. Assoun tenta encontrar nessa página de Freud ecos da metodologia de Mach (ASSOUN, 1983, p. 84-102). Embora seja inegável a reverência que Freud tinha com relação a cientistas, como Helmholtz, Fechner, Brücke e o próprio Mach, um argumento do próprio Assoun parece suficiente para desfazer essa dívida aparentemente tão alta. Justamente o papel das "ideias abstratas" que desloca o eixo empirista de Mach e "faz explodir o quadro por demais estreito do fenomenalismo de Mach" (p. 101). No entanto, como me alertou Luiz Henrique de Lacerda Abrahão em sua generosa leitura deste artigo, essa leitura demasiado empirista de Mach mostra-se aos olhos da historiografia recente bastante problemática. O próprio Feyerabend, em diversas ocasiões, é um dos expoentes de estudos surgidos por volta dos anos 1980 que se esforçam em reabilitar o pensamento de Mach, afastando-o de uma leitura positivista ou empirista radical. Se essa leitura de Mach como "empirista" for rebatida, então "a dívida" de Freud com Mach em termos de metodologia poderia eventualmente ser reabilitada também.

[11] "Pois a verdade é que não sou, de modo algum, um homem de ciência, nem um observador, nem um experimentador, nem um pensador. Sou, por temperamento, nada além de um conquistador [...] com toda curiosidade, ousadia e tenacidade que são características de um homem dessa espécie" (Carta de Freud a Fliess de 1º de fevereiro de 1900, *in* FREUD, 1999, p. 437). Não custa nada lembrar a recorrência com que o símile do avançar apesar dos obstáculos, do caminhar por rotas desconhecidas, etc., comparece ao longo da obra de Freud.

[12] Sobre o desejo do analista, ver COTTET, 1983.

[13] Em *Psicanálise, feminino, singular,* Jeferson M. Pinto (2008, p. 21-29) apresenta boas razões para conceber a produção do conhecimento em psicanálise como *sinthome* do analista.

[14] Ver comentário de Michel de Certeau (2011, p. 94).

[15] A partir de 1905, Einstein publica artigos nos quais apresenta a teoria da relatividade restrita, aquela que estabelece a equivalência entre massa e energia (a célebre fórmula: $E=mc^2$); alguns anos mais tarde, entre 1907 e 1915, formula sua teoria da relatividade geral (Cf. PATY, 2003, cap. 2). Não é fácil estabelecer com precisão até que ponto Freud conhecia a física einsteiniana. Não há na obra escrita menções a Einstein, exceto quando, a convite da *Liga das Nações,* trocaram correspondência acerca da guerra. Como um homem cultivado de seu tempo, Freud certamente tinha notícias acerca das profundas transformações em curso nos conceitos fundamentais da física clássica. Mas não se sabe ao certo através de que meios. As aulas públicas de Mach na Universidade de Viena poderiam ser uma pista a ser seguida.

[16] Janik e Toulmin (1991, p. 148) escrevem: "Raras vezes um cientista exerceu tamanha influência sobre a sua cultura quanto Ernst Mach. [...] Sua psicologia teve impacto direto sobre as concepções estéticas da *Jung Wien*; o próprio Hofmannsthal assistia às aulas universitárias de Mach e reconheceria os problemas de Mach como similares, de certo modo, aos dele mesmo, enquanto Robert Musil se confessava em grande débito para com Mach. [...] Da poesia à filosofia do direito, da física à teoria social, a influência de Mach foi profunda na Áustria e em outros países". Não obstante, Mach ficou mais conhecido por sua psicofísica e sua análise das sensações e teve seu nome associado ao positivismo lógico, por causa, principalmente de Neurath, que fundou, na década de 1920, a Sociedade Ernst Mach, uma precursora do Círculo de Viena.

[17] A tradução é de CARONE, 2009.

[18] Não faremos, para simplificar, nenhuma distinção entre ciências do espírito, ciências humanas ou ciências sociais. Para os fins a que nos propomos, basta a oposição em relação às ciências ditas naturais.

[19] Lacan escreve: "Dizemos, ao contrário do que se inventa sobre um pretenso rompimento de Freud com o cientificismo de sua época, que foi esse mesmo cientificismo – se quisermos apontá-lo em sua fidelidade aos ideais de um Brücke, por sua vez transmitidos pelo pacto através do qual um Helmholtz e um Du Bois-Reymond se haviam comprometido a introduzir a fisiologia e as funções do pensamento, consideradas como incluídas neles, nos termos matematicamente determinados da termodinâmica, quase chegada a seu acabamento em sua época – que conduziu Freud, como nos demonstram seus escritos,

a abrir a via que para sempre levará seu nome. Dizemos que essa via nunca se desvinculou dos ideais desse cientificismo, já que ele é assim chamado, e que a marca que traz deste não é contingente, mas lhe é essencial" (LACAN, 1998, p. 871).

[20] Cetina (1999), em seu instigante *Epistemic Cultures: How the Sciences Make Knowledge*, faz uma história do laboratório e mostra justamente como Freud procura institucionalizar o espaço de fala da Psicanálise como um novo modelo de laboratório. Ver, especialmente, páginas 39-40.

[21] Remeto novamente ao brilhante trabalho de André Carone (2009).

[22] Para um estudo detalhado das dívidas de Freud com o naturalismo, ver ASSOUN (1983). Sobre o caráter especulativo desse recurso, ver SAFATLE (2012).

[23] A pulsão, escreve Lacan, "proíbe ao pensamento psicologizante esse recurso ao instinto com que ele mascara sua ignorância, através da suposição de uma moral na natureza" (LACAN, 1998, p. 865).

[24] Escreve Derrida: "a especulação não é somente um modo de pesquisa nomeado por Freud, não é somente o objeto oblíquo de seu discurso, mas, também, a operação de sua escritura" (DERRIDA, 2007, p. 314).

[25] Àqueles que confundem mito e fábula, ou que associam mito com a ilusão ou com a inverdade, remeto aos brilhantes estudos de Marcel Detienne, especialmente aos últimos capítulos de seu *A invenção da mitologia* (1998), em que ele realiza uma espécie de genealogia desse ideário.

[26] Antes que algum leitor mais voraz queira associar tais observações quanto à indeterminação ao princípio da incerteza de Heisenberg, não custa lembrar que este só foi formulado em 1927 e que seu impacto na cultura demora um pouco mais. O prêmio Nobel de Heisenberg é de 1932. Não existem evidências textuais de alguma referência freudiana à Mecânica Quântica.

[27] Certamente, o suposto conservadorismo epistemológico de Freud (a expressão é de P.-L. Assoun) não teria aprovado o anarquismo epistemológico, mas é impossível não lembrar aqui do que diz Feyerabend: "A idéia de conduzir os negócios da ciência com o auxílio de um método que encerre princípios firmes, imutáveis e incondicionalmente obrigatórios vê-se diante de considerável dificuldade, quando posta em confronto com os resultados da pesquisa histórica. Verificamos, fazendo um confronto, que não há uma só regra, embora plausível e bem fundada na epistemologia, que deixe de ser violada em algum momento. Torna-se claro que tais violações não são eventos acidentais, não são o resultado de conhecimento insuficiente ou de desatenção que poderia ter sido evitada. Percebemos, ao contrário, que as violações são necessárias para o progresso" (FEYERABEND, 2007, p. 29).

UMA GRAMÁTICA PARA A CLÍNICA PSICANALÍTICA

Christian Ingo Lenz Dunker

Toda clínica começa por uma semiologia. E a Psicanálise não é uma exceção a essa regra. Aquele que pretende praticar a clínica em Psicanálise logo se verá convidado a distinguir, no interior da fala de seus pacientes, as grandes formações do inconsciente. A atenção equiflutuante que define a atitude do analista é interrompida, torna-se então atenção concentrada em torno da emergência de sonhos, de atos falhos, de chistes, de sintomas, de manifestações de transferência sob a qual nos esforçamos por manter a associação livre. Dessa maneira verificamos como o trabalho de interpretação depende de uma semiologia, ou seja, de um conjunto de signos, de índices ou de traços que indicam, conforme sua classe e sua ordem, a organização do material dotado de valor psicopatológico. Constituída por regras para a leitura das mudanças de forma, que definem classes ou conjuntos, e regras de leitura das transformações sintáticas e suas relações lógicas de ordenamento, a semiologia condiciona a atividade diagnóstica e orienta as decisões envolvidas no tratamento e na investigação sobre as causas do mal-estar, do sofrimento e do sintoma.

A noção fundamental para entender a semiologia psicanalítica do inconsciente é a ideia de *forma*, presente

nas inúmeras noções psicanalíticas variantes da palavra *Bild* (forma, imagem, construção). Podemos agrupar diferentes tipos de formações (*Bildungen*), em classes que mantêm entre si relações de ordem e que no conjunto assim formado definem o patológico. Por exemplo, as formações substitutivas (*Ersatzbildung*), como os sonhos, exprimem, genericamente, o trabalho de condensação e deslocamento a serviço da redução de tensão, conforme estratégias de deformação e simbolização. As formações de compromisso (*Kompromissbildung*) entre representações recalcadas e recalcantes incluem todas as propriedades das formações substitutivas, mas se especificam por um ordenamento regrado pela defesa e pelo retorno do recalcado. As formações de sintoma (*Symptombildungen*), como a conversão histérica, a ideia obsessiva ou o medo fóbico, incluem todos os atributos das formações de substituição e de compromisso, mas especificam-se na ordem funcional do sintoma, da inibição e da angústia. Finamente, as formações reativas (*Reaktionbildungen*), baseadas em contrainvestimentos (*Gegenbesetzungen*) de força igual e direção oposta ao investimento inconsciente,[1] ordena-se pela relação entre o sintoma e os sistemas de identificação do eu, dos ideais e do caráter.

Se a semiologia contida em *Interpretação do sonho* (FREUD, 1973/1900), *Psicopatologia da vida cotidiana* (FREUD, 1988/1901) e *Chistes e sua relação com o inconsciente* (FREUD, 1973/1905), que acentua a dimensão morfológica na racionalidade clínica, deriva do trabalho de alteração da forma, característico do inconsciente, há uma segunda semiologia presente em Freud, nem sempre tão destacada para aqueles que se dedicam a teorizar sua clínica, mas que salta aos olhos de quem se dedica ao trabalho de tradução.[2]

As pulsões e seus destinos é um texto conhecido e crucial para a Metapsicologia freudiana; contudo, ele é

UMA GRAMÁTICA PARA A CLÍNICA PSICANALÍTICA   137

também uma lição maior dessa segunda forma de semiologia clínica, ou seja, aquela que acrescenta ao trabalho da alteração da forma as exigências do que se poderia chamar, no escopo da gramática, de uma sintaxe, ou seja, as relações de disposição e ordenamento entre sujeitos e predicados (Aristóteles), letras e nomes (gramática de Port-Royal), ou funções e argumentos (Frege). Escutar e agir levando em conta as *formações do inconsciente* e a *gramática das pulsões* talvez seja o modo mais seguro de caracterizar o que viria a ser, ainda hoje, uma clínica realmente freudiana.

Podemos elencar dois exemplos notáveis de como Freud organizava a leitura de signos clínicos: a sintaxe do delírio nas psicoses e a gramática da fantasia nas neuroses.

A análise das transformações gerativas dos diferentes tipos de delírio presentes na paranoia, levada a cabo no estudo, de 1911, sobre o caso do Presidente Schreber,[3] mostrará que um delírio de perseguição decorre da passagem da frase "Eu o amo" para "Eu não o amo" (*porque eu o odeio*) e disto para "Ele me odeia" (*portanto, me persegue*) e finalmente para "Eu o odeio porque ele me odeia", que justificaria a perseguição. Por operações de negação do verbo (amar – não amar), de projeção entre intuição interna e percepção externa (amar – odiar) substitui-se o amante inicial por um perseguidor final. Operações análogas explicarão a gênese do delírio erotomaníaco de pregnância feminina ("Eu não o amo, eu a amo ... porque ela me ama"), o delírio de ciúmes na variante alcoólica masculina ("Eu não [*nicht Ich*] amo um homem ... é ela quem o ama"), o delírio de ciúme feminino ("Eu não amo as mulheres ... senão que é ele que as ama") e o delírio megalomaníaco ("Eu não amo em absoluto, eu não amo ninguém ... eu amo apenas a mim mesmo"). A análise gramatical das pulsões, aqui aplicada ao caso central do

amor, depende, como se pode ver, da forma proposicional e da flutuação da zona de aplicação da negação: ao sujeito, ao verbo, ao predicado ou à frase em seu conjunto. Ela presume e se articula com o trabalho morfológico da negação, cujo resultado é expresso em processos como a denegação (*Verneinung*), o recalque (*Verdrängung*), o desmentido (*Verleugnung*) ou a foraclusão[4] (*Verwerfung*). Destes, apenas o recalque é considerado um destino da pulsão, comparável, portanto, com a sublimação (*Sublimierung*), com o retorno (*Wendung*) à própria pessoa e com a reversão (*Verkerhung*) ao contrário. Por isso é possível distinguir semiologicamente operações de negação e alteração da forma (*Bildungen*) e operações de mudança na relação entre os elementos, que se pode traduzir pela noção de *destino* ou de *vicissitude* (*Schicksal*), presente no título de *As pulsões e seus destinos*. Vê-se, pela heterogeneidade dos conceitos de *formação* e de *destino*, que a semiologia de Freud é muito mais complexa do que a partição consagrada pela tradição lacaniana, tendo em vista a distinção entre tipos de defesa e a qualidades de negação envolvida, por exemplo, nas diferentes estruturas clínicas (neurose, psicose, perversão). Há mais de uma determinação entre a semiologia das formações do inconsciente e a semiologia da gramática das pulsões.

O segundo exemplo crucial para uma gramática pulsional da clínica psicanalítica encontramos em *Bate-se em uma criança*, de 1919. Apresentado como uma contribuição ao entendimento das perversões, o artigo consagrou-se historicamente como um trabalho sobre a fantasia. Nele compara-se a incidência da fantasia de apanhar entre homens e mulheres, tendo em vista a sintaxe transformativa de três categorias gramaticais: pessoa, gênero e sujeito. No caso da mulher, há três modos ou fases ordenadas

da fantasia. A primeira fase, "bate-se em uma criança" (*Ein Kind wird geschlagen*), pode ser lida, após o trabalho da análise, como "o pai bate na criança que eu odeio". Para tanto é preciso substituir a partícula indeterminativa "se" por "pai" e "a criança que é batida" por "irmão" ou "irmã", acrescentando-se o predicativo "que eu odeio". A proposição negativa ("não ama") pode ser deduzida da conjunção entre "ele bate" e "eu odeio", "o pai não ama essa criança, ele só ama a mim". Antes dessa leitura e dessa interpretação, a frase aparece investida de uma enunciação sádica, desconhecida ao sujeito, que associa ao enunciado a enunciação de indiferença. Freud não encontra um equivalente dessa fase para o caso do menino, que seria algo como "a mãe bate em uma criança que eu odeio". Tanto para o menino quanto para a menina a primeira fase da fantasia estabelece o pai como agente do ato de bater.

Da primeira para a segunda fase da fantasia ocorre um retorno (*Umwandlung*) pelo qual o enunciado se transforma em "eu sou batido pelo pai", enunciado masoquista que nunca encontrou uma existência real, nunca é recordada, jamais se torna consciente, sendo assim uma construção da análise.[5] A primeira e a terceira fase são objetos de leitura e interpretação, a segunda exige construção (*Konstruktion*). Na segunda fase integram-se duas proposições contrárias (a) "o pai ama somente a mim, e não a outra criança, pois ele bate nela"[6] e (b) "ele não ama você, porque ele te bate" (p. 240). A consciência de culpa reverte (*Umkehrung*) o sadismo em masoquismo, erotizando o castigo e estabelecendo um substituto que efetua primeiro o recalque e depois a regressão. Finalmente, uma superestrutura (*Überbau*) inverte novamente a posição do agente, fazendo aparecer sonhos diurnos e devaneios nos quais o pai humilhado é o protagonista ("o pai é espancado").

140 OBRAS INCOMPLETAS DE S. FREUD

No caso da versão masculina da fantasia aqui há uma reversão (*Umkehrung*) adicional, que permite a inversão da atividade em passividade, acentuando-se a regressão sobre o recalque. O primeiro enunciado da fantasia masculina equivale à segunda fase do caso feminino, ou seja, "sou batido pelo pai", conotando tanto "ele me odeia" quanto "ele me ama". Esta segunda fase permite entender, por exemplo, a frequente convivência, entre neuróticos, de um "delírio de insignificância" ao lado de uma "excessiva superestimação de si mesmo" (FREUD, 1973/1919, p. 243).

Na terceira fase da fantasia, que é quase sempre consciente, o agente do ato passa a ser uma autoridade substituta do pai, acrescenta-se uma multiplicidade de crianças envolvidas, com indistinção de gênero. Aqui aparece uma nova posição do sujeito: "provavelmente eu estou olhando" para a cena. Ela pode ser lida então com a seguinte formulação: "O [substituto do] pai bate em outra criança, pois ele só ama a mim". Nesta fase a fantasia sobrepõe-se à intensa e inequívoca excitação sexual, impulsionando a satisfação masturbatória. Na versão masculina encontramos aqui a proposição "Eu sou batido pela mãe" (p. 248). Neste terceiro tempo "só a forma da fantasia é sádica, a satisfação que se ganha com ela é masoquista" (p. 249).[7] As muitas crianças açoitadas são então substitutas do próprio sujeito, que se torna "um entre outros". A sintaxe da fantasia apoia-se na gramática das pulsões, sendo composta por movimentos de reversão, inversão e substituição:

> [Na terceira fase], a menina retém a pessoa do pai e, com ela, o gênero da pessoa que bate; mas muda a pessoa que apanha e seu gênero, de sorte que ao final um homem bate em meninos. Pelo contrário, o menino muda a pessoa e o gênero de quem bate, substituindo o pai pela mãe, e conserva sua própria

pessoa, de modo que ao final o que bate e o que apanha são de gêneros distintos. Na menina a situação originariamente masoquista (passiva) é transmutada (*Umgewandelt*) por recalque em uma sádica, cujo caráter sexual é muito borrado; no menino segue sendo masoquista e como consequência da diferença de gênero entre o que bate e o que apanha conserva a semelhança com a fantasia originária de intenção genital (p. 249).

Vê-se assim como a noção de oposição, entre pessoa e gênero, bem como a intrusão do sujeito, de forma direta ou elíptica, constituem as categorias fundamentais por meio das quais atividade e passividade, masculinidade e feminilidade, masoquismo e sadismo se colocam como funções geradoras de modos de relação delimitados pela fantasia. Notemos ainda como tais oposições são formas diferenciais de efetuar negações, em nível do juízo, da enunciação ou da relação ao objeto.

Estamos agora em condição de examinar a crucial relevância do texto sobre *As pulsões e seus destinos*. Posicionado quatro anos antes do trabalho sobre *Bate-se em uma criança* (1919), e quatro anos depois do estudo sobre o Presidente Schreber (1911), ele descreve e apresenta a teoria das pulsões como método clínico para pensar a gramática de relações, compreendendo tanto as relações negativas de objeto, quanto as variantes de sexo—gênero, as indexações do sujeito e a combinatória da fantasia. Mais importante do que subsidiar tais relações em fundamentos biológicos ou culturais, em princípios gerais ou específicos de orientação do aparelho psíquico, é o fato de que encontramos aqui uma semiologia que resistiu ao tempo, habilitando inúmeras reinterpretações e facultando diferentes entendimentos clínicos dentro da Psicanálise.

Tradicionalmente o texto de Freud sobre as pulsões é o ponto de discórdia entre os que entendem que as pulsões exprimem uma relação de objeto, e, portanto, descrevem modalidades intersubjetivas de relação, baseados no que Gabbi Jr. (1998) chamou de modelo de subjetividade compartilhada. Há tanto os que enfatizam processos como identificação, projeção ou introjeção quanto aqueles que entendem que os destinos da pulsão são antes de tudo "espécies de defesa contra as pulsões". Há ainda, segundo os que advogam uma prevalência do modelo do "quimismo mental", aqueles que postulam uma leitura da teoria das pulsões para subsidiar uma clínica do excesso pulsional, que se manifesta sob a forma de angústia, e aqueles que a empregam para subsidiar uma concepção clínica baseada na maturação e no desenvolvimento, para os quais as noções de fixação, regressão ou recalque são decisivas.

O fato de que as pulsões são um trabalho (*Bearbeitung*) e uma realização (*Leistung*) que obedecem a montagens qualitativamente eficazes reforça as duas primeiras leituras. A natureza essencialmente quantitativa das excitações (*Erregung*) e dos estímulos (*Reiz*) faz água para os argumentos do segundo grupo. Finalmente, a ideia de "conceito fronteiriço" (*Grenzbegriff*) e o duplo sentido de necessidade (*Bedürfnis*), como exigência contingente ou obrigatória, subsidia ambas as interpretações.

Pouco se atentou para as observações cautelosas de Freud de que tal modelo das pulsões funcionaria para as psiconeuroses e para as neuroses de transferência, sendo eventualmente ainda não aplicável para a esquizofrenia e para as psiconeuroses narcísicas. Ou seja, antes de envolver deduções e implicações de cunho biológico ou cultural, a noção de pulsão é apresentada como um corolário clínico delimitado por um escopo particular. Quiçá a controvérsia

em torno da tradução do conceito de *Trieb*, para pulsão ou para instinto, para tendência ou para impulso, nos remeta à própria combinação entre determinação e indeterminação que habita a experiência da qual ele parte. Daí que a imagem da "deriva", salientada por Pedro Heliodoro neste volume, seja tão pertinente para exprimir essa combinação entre determinação e indeterminação presente na ideia de pulsão. A pulsão inclui qualidades plásticas e construtivas tais como a variabilidade (do objeto) e a combinatória (entre meio, meta, pressão e fonte), mas a pulsão conota também predicados coercitivos tais como pressão constante, incondicionalidade da satisfação como meta, inalterabilidade (fixação) e inexpugnabilidade (*Unbezwingbarkeit*). A combinação entre determinação e indeterminação da pulsão aparecerá ainda no conceito de entrecruzamento pulsional (*Triebverschränkung*), por meio do qual um único objeto determinado se presta a satisfazer diferentes pulsões indeterminadas. Mas também um único objeto indeterminado clama a ligação com múltiplas mas determinadas montagens da pulsão. Portanto, há uma identidade das pulsões que é, sobretudo, efeito da unificação ou da identificação de suas diferentes gramáticas, e que talvez não precise nos remeter a um regime ontológico positivo.[8]

Portanto, seria possível acrescentar à *indeterminação epistemológica*, exigida de qualquer conceito fundamental (*Grundbegriff*), dada a relação provisória entre experiência e fundamentação metapsicológica,[9] uma *indeterminação clínica*, que assim se mostraria compatível com a ideia de destino (*Triebschicksal*) que predica o título do ensaio. Quando Freud fala nos fenômenos "que serão depois agrupados, ordenados e correlacionados" (FREUD, neste volume, p. 15), podemos reencontrar as mesmas noções

de *agrupamento*, *ordem* e *disposição*, que serão empregadas no interior da gramática pulsional, em associação com a noção de *oposição*.

Podemos dizer que os dois destinos da pulsão que não são discutidos em *As pulsões e seus destinos*, o recalque e a sublimação, definem se, cada qual por um tipo específico de oposição, entre o eu e o desejo no primeiro caso e entre a meta sexual ou não sexual no segundo caso. O recalque é definido como uma operação do juízo de negação, ao passo que a sublimação corresponde a uma negação da meta. Isso permite uma comparação com a reversão ao oposto (*Verkehrung ins Gegenteil*) e o retorno à própria pessoa (*Wendung gegen die eigene Person*), que serão dilucidados em detalhe, considerados, respectivamente, como negações que incidem sobre a série real (Eu–mundo), a série econômica (prazer–desprazer) e a série biológica (atividade–passividade).

Tanto a ideia de *reversão* quanto a de *retorno* presumem uma forma de organizar oposições. No primeiro caso há dois subtipos: a alternância entre atividade e passividade e a inversão de conteúdo. No caso do retorno a oposição localiza-se entre Eu e objeto. Ocorre que o retorno, à própria pessoa, característico da retração narcísica da libido, implica um caso particular da passagem da atividade para a passividade. O recalque, por sua vez, implica o retorno à própria pessoa, que por sua vez presume a alternância entre atividade e passividade. Observemos que as categorias de *atividade* e *passividade* constituem elementos semiológicos presentes desde o início da investigação freudiana. Por exemplo, em sua investigação sobre a etiologia da histeria, nos anos 1890-1900, Freud postula uma incidência diferencial da experiência traumática, caracterizada pela recordação de uma *satisfação passiva* na histeria e ligada à

satisfação ativa na neurose obsessiva (FREUD, 1973/1896). Também nos textos sobre o Complexo de Édipo, do período 1920-1925 (FREUD, 1973/1923), a dialética entre atividade e passividade será usada para definir a posição masculina e a posição feminina ao longo da sua trajetória de falicismo, desdobrando-se, por exemplo, no tema da oposição entre fálico e castrado, ou ainda na tensão entre premissa universal do falo e a postulação da bissexualidade.

Freud chama de *biológica* a oposição entre atividade e passividade, comparando-a com a *oposição real* (entre Eu–sujeito e objeto–mundo) e a *oposição econômica* (entre prazer e desprazer). Contudo, não devemos identificar, anacronicamente, o que Freud entende por biológico com o que a Biologia contemporânea chama de biológico e inferir daí que a acepção de *instinto* seria mais conveniente do que a de *pulsão* para traduzir o termo *Trieb*. Prova disso se encontrará não apenas nos usos e incidência do termo *Trieb* na virada no século XIX alemão, da filosofia da natureza goethiana ao fisicalismo, passando pela recepção germânica das ideias de Darwin ou pelo romantismo literário, mas também pelo tipo de oposição nocional e contraste interno ao texto a que o termo está submetido. Ao dizer que o *Trieb* possui uma oposição *biológica*, outra *real* e uma terceira *econômica*, Freud restringe explicitamente a conotação biológica do conceito; caso contrário, seria o conjunto completo das oposições que deveriam ser designadas como *biológicas*, e não apenas uma parte delas. A própria denotação das noções de *atividade* e de *passividade* nos remete mais ao campo da gramática e ao uso da língua, desde o latim e o grego, onde encontraremos as noções de *inversão, reversão, voz ativa, voz passiva, voz media reflexiva*, do que ao solo epistemológico da Biologia. Freud, em solidariedade com

a psicopatologia de sua época, dispunha perfeitamente do vocabulário biológico que pretendia realizar derivações clínicas de estruturas neurologicamente descritas, como o arco-reflexo. Exemplo disso são as oposições entre ação e reação, estímulo e resposta, polo perceptivo e polo motor, que abundam no texto freudiano. Contudo, não é nenhum desses termos que Freud escolhe para caracterizar a *Trieb* como *Grundbegriff*, mas tão somente a genérica e linguística oposição entre *atividade* e *passividade*. Explica-se, assim, por que o primeiro caso examinado em *As pulsões e seus destinos* seja o da passagem do sadismo ao seu contrário, o masoquismo. Apesar de rever esta tese mais tarde, aqui ele ainda supõe, com razoável segurança, que a atividade precede a passividade. Parte-se, portanto, no que se poderia chamar de primeira declinação da pulsão, do sadismo definido pela *atividade*, de dominação ou violência, sobre o objeto.

Na segunda declinação, o objeto é abandonado (*aufgegeben*) e substituído pela própria pessoa. Freud não diz, mas isso concorda com o kantismo espontâneo de nossa educação das crianças que lhes impõe a máxima "não faça ao outro aquilo que você não quer que o outro faça a você". Esse ato de colocar-se no lugar do outro e experimentar o caráter reflexivo da lei, tomando-se como objeto do próprio sadismo, impulsiona uma mudança de posição. Vê-se assim como estão implicados aqui, simultaneamente, dois casos: reversão de sadismo–atividade para masoquismo–passividade e o retorno narcísico à própria pessoa. O truque aqui é não confundir a própria pessoa (*eigentliche Person*) nem com o eu, nem com o sujeito, nem com o si mesmo. Melhor seria tomar a noção de "pessoa" em sentido gramatical de partícula determinada do enunciado que se liga com o agente indeterminado da enunciação.

Na terceira declinação, o lugar deixado vago pelo agente deve ser ocupado por outra pessoa, completando formalmente o par antitético do masoquismo. Observe-se como Freud está descrevendo aqui o processo formativo de uma identificação, como passagem ao lugar de objeto, e também o processo de fixação de uma demanda ou de um apelo, uma vez que outro (indeterminado) deve ocupar a posição deixada vaga pela pessoa. Essa reversão ao oposto, muda a posição da pessoa, mas também engendra uma dupla satisfação, masoquista e sádica, mas não sadomasoquista. Vemos agora como a identificação, envolvida na passagem ao contrário, é um caso simétrico da satisfação associada com o segundo tempo da fantasia, que examinamos anteriormente a propósito de *Bate-se em uma criança* e que Freud salienta nominalmente: "Nele, a satisfação também ocorre pela via do sadismo original, na medida em que o Eu passivo põe-se, no plano da fantasia, em seu lugar anterior, que agora foi deixado ao outro sujeito" (FREUD, neste volume, p. 37).

A mesma gramática se reencontrará oito anos mais tarde em *O Eu e o Isso* (FREUD, 1973/1923), para explicar um dos fenômenos clínicos mais evidentemente ligados à produção do sofrimento, ou seja, a paixão do eu (masoquista) em fazer-se de objeto ao supereu (sádico). Mas a partir desse momento, com a entrada da hipótese da pulsão de morte e da segunda teoria do aparelho psíquico, haverá uma "passagem ao contrário" em nível teórico, fazendo com que Freud substitua a hipótese do "sadismo originário", presente em *As pulsões e seus destinos*, pelo problema econômico do "masoquismo originário". Entende-se assim por que Freud trabalhará com a comparação entre masoquismo originário, masoquismo moral e masoquismo feminino. É uma reedição dos três níveis gramaticais estipulados em 1915.

Mas voltemos ao escopo da segunda declinação, no interior da passagem do sadismo ao masoquismo. O caso simultâneo de reversão (*Verkehrung*) e retorno (*Wendung*) pode ser contrastado com o caso simples, no qual há retorno à própria pessoa mas sem reversão de atividade em passividade. Ora, este caso prescrito pela gramática das pulsões é clinicamente representado pelo atormentar-se ou pela autopunição, que encontramos na neurose obsessiva. A combinatória assim descrita prescreve a existência de mais um caso, ou seja, a existência de reversão ao contrário sem retorno à própria pessoa. Ora, encontraremos a semiologia desse caso hipotético, não explorado em *As pulsões e seus destinos*, no estudo subsequente no qual Freud pretende distinguir o luto da melancolia (FREUD, 1973/1917). Na melancolia, ao contrário do luto, se encontrará esse atormentar-se ou autocriticar-se sem investimento da fantasia, ou seja, sem o movimento de alocação de outro no lugar ativo para preencher a função deixada vaga pelo abandono da pessoa que era agente do sadismo. Nas duas situações o "verbo ativo não passa para a voz passiva, mas para a voz média reflexiva" (FREUD, neste volume, p. 39).

A voz média reflexiva constitui um problema linguístico, uma vez que corresponderia à combinação entre os dois tipos de vozes discernidos pela gramática da língua portuguesa, bem como da língua alemã. Tradicionalmente há duas maneiras de considerar a voz como categoria gramatical. A primeira enfatiza as propriedades morfológicas da sentença, em que atividade e passividade opõem-se do ponto de vista do agente da ação, fazendo com que o que era sujeito na voz ativa ("o pai bateu no filho"), apareça como "agente da passiva" na frase inversa ("o filho foi batido pelo pai"). A segunda maneira de entender a voz média implica tomá-la como categoria de natureza

sintático-semântica, privilegiando-se as relações lógicas entre verbo e argumento. O problema se aprofunda quando Freud fala em voz *média reflexiva*. A rigor, voz media, voz recíproca e voz reflexiva são casos diferentes entre si, sendo as duas últimas caracterizadas pelo uso pronominal. Ocorre que no alemão não se verifica tal partícula (*Ein kind wird geschlagen = Uma criança é batida*). A voz média reflexiva caracteriza-se, do ponto de vista sintático-semântico, pela presença de verbos processuais (mormente os que exprimem sentimentos), pela aparência de causatividade (mesmo que esta não se verifique de modo determinado) e pela codificação de eventos destituídos de autoria pelo falante "que não quer ou não sabe mencioná-la" (DUARTE, 2005).

Para desenvolver as implicações gramaticas e pulsionais dessa voz média, que, como vimos, é um traço clínico do plano da fantasia, Freud recorre duas vezes a um termo raro para designar a satisfação da pulsão, ou seja, gozo (*Genuss*), que aparece tanto em "a fruição da dor (*Schmerztgeniessen*), seria, portanto, uma meta originária do masoquismo" quanto em "alguém ao provocá-las [as dores] em outrem frui [*geniesst*] pela identificação com o objeto que as sofre [*leidenden*]" (FREUD, neste volume, p. 39). E esse gozo aparecerá, portanto, como uma patologia do reconhecimento na ordem da "autoria", da "causalidade" e da "identidade".

Se os destinos da pulsão estão para a gramática das pulsões assim como as formações de compromisso estão para a semiologia do inconsciente, as combinações entre retorno à própria pessoa e reversão ao contrário estão para a sintaxe das pulsões assim como o recalque e o retorno do recalcado estão para as formações de sintoma. Isso fica mais claro, no texto *As pulsões e seus destinos*, quando Freud examina o caso da compaixão (*Mitleid*) como situação na

qual não há transformação da pulsão, nem por reversão nem por retorno, mas uma *formação reativa*. É como se neste caso encontrássemos a identificação que indicasse o retorno do eu para o outro, e a reversão funcionasse da passividade para a atividade. Ou seja, na formação reativa acentua-se a inversão do afeto em dupla oposição. Reencontramos assim a homologia entre o plano gramatical da pulsão com o plano morfológico do inconsciente.

O segundo caso estudado em *As pulsões e seus destinos* aborda a oposição entre *olhar* e *mostrar* seguindo o mesmo método gramatical, agora dilucidando a função da identificação. Na primeira declinação o olhar aparece como atividade lançada para um objeto alheio. Na segunda este objeto é abandonado (*Aufgeben*). Na terceira montagem aparece a demanda para a inclusão de uma terceira posição "para quem o sujeito se mostra". A diferença substancial da dialética entre sadismo–masoquismo e a dialética olhar–mostrar é que no segundo caso Freud postula a existência de uma fase anterior. No momento autoerótico o próprio órgão sexual é eleito como objeto do olhar, ao contrário do sadismo, que desde o início orienta-se para o estranho. Essa montagem entre autoerotismo e narcisismo implica um novo tipo de negação: "seu objeto desaparece [*verschwindet*] face ao órgão de que é fonte e, via de regra, coincide com ele" (FREUD, neste volume, p. 47). Essa desaparição por coincidência com o objeto explica melhor o fenômeno da ocultação nos verbos transformativos, que descrevemos como característica da voz média reflexiva e que reencontraremos no estudo que Freud faz dos jogos infantis de oposição, como o *fort-da*, na economia dos fenômenos de transitivismo, ou na lógica das atitudes discordanciais (FREUD, 1973/1920).

Isso dá margem para a caracterização de um novo tipo de negação, uma negação gradualista, que admite

a convivência entre atividade e passividade. Esse seria o modelo necessário para explicar a coexistência ou a permanência dos diferentes modos de organização da pulsão, tendo em vista sua disposição à múltipla satisfação com o objeto (*Triebverschränkung*) e as variáveis ações instadas pela pulsão (*Triebhandlungen*). Novamente Freud traz uma decorrência semiológica para subsidiar esse modelo. A convivência entre a *atividade* do trabalho (*Handlung*) pulsional e a *passividade* do modo de satisfação caracteriza a situação clínica conhecida como *ambivalência*. Esse caso da sintaxe pulsional, retenção do olhar como satisfação passiva (tomar a si como objeto) e orientação do olhar ativamente para o outro, possui um correlato semiológico que receberá o nome de *formação narcísica* (*Narzisstische Bildung*) (FREUD, neste volume, p. 47). Essa formação coordena os destinos pulsionais da reversão atividade–passividade e de retorno à própria pessoa de modo análogo ao modo como a *formação de sintoma* coordena o destino pulsional no caso do recalque.

Depois de estudar a oposição sadismo–masoquismo e a oposição olhar–mostrar, o terceiro caso fundamental, examinado pela semiologia freudiana das pulsões é o amor. Aqui temos três oposições, e não apenas duas. *Amar e ser amado* segue a gramática elementar da atividade–passividade, da qual se deduz a variante narcísica de *amar a si mesmo*. A substituição da passividade da pessoa "si" pelo lugar demandado ao outro estranho (*fremde*) origina a atividade (amar). A permanência na passividade sobrepõe narcisismo e amor de objeto (ser amado). É neste ponto que Freud começa a reconhecer a coexistência de formas de negação diferencial no interior de seu sistema de oposições. Ele começa a discerni-las como oposições compostas por oposições, ou seja, as séries: sujeito–objeto, prazer–desprazer, atividade–passividade.

A oposição sujeito–objeto trabalha como uma negação cruzada e não excludente. Nela, o Eu é passivo diante dos estímulos do mundo (percepção) e ativo diante do mundo quando procura reduzir a tensão (reação ou ação específica). Mas o Eu é ainda passivo diante de suas próprias pulsões e ativo em relação a elas, consideradas como estímulos internos. Esse tipo de negação revela a precariedade relativa da oposição entre internalidade e externalidade, e consequentemente a distinção, que nela se apoia, entre masculinidade e feminilidade.

A oposição prazer–desprazer opera com uma escala de sensações graduais (*Entpfindungsreihe*), sobrepondo a oposição do primeiro tipo, entre sujeito-objeto (ou Eu–mundo externo), com uma oposição de segundo grau envolvendo o gradiente prazer–desprazer. Assim, o grupo prazer–desprazer, reunido como uma unidade, coloca-se em oposição polar marcada por um novo tipo de afeto: a indiferença e o desinteresse. O Eu pode coincidir com o prazer (ama a si mesmo). O mundo externo pode coincidir ou com indiferença (como negação do Eu) ou com o desprazer (como negação do prazer). No espaço dessa indeterminação trabalham dois processos que podem ser lidos, conforme a tradição psicanalítica, como defensivos ou como de simbolização: a projeção e a introjeção. Neles intervém algo que barra ou que verifica as pulsões autoeróticas e o estado de coincidência entre narcisismo e autoerotismo. Mais além da projeção e da introjeção encontramos o desamparo (*Hilflosigkeit*), que recorta e introduz outro tipo de passividade, não recoberta pela pulsão sexual, e que justificará a existência das pulsões de autoconservação. Vemos assim que, se a primeira oposição implica uma negação determinada, essa segunda operação caracteriza-se pela negação indeterminada, ou seja, a negação de algo que se desconhece.

A negação do desprazer coincide com a negação indeterminada do mundo, mas à condição de subordinar as experiências do Eu–real ao Eu–prazer. Ora, essa é uma sobreposição que não cobre todas as alternativas. Há ainda um saldo, que é caracterizado por Freud como um "resto estranho" (*einen Rest, der ihm fremd ist*) (FREUD, 1973/1915, p. 98), que é a um tempo Eu e mundo, e também prazer–desprazer e indiferença. A expressão *Eu–prazer purificado* (*purifiziertes Lust–Ich*) contém a ideia gradualista de purificação, ou seja, processo quantitativo que se interpõe no interior da negação qualitativa. Finalmente, a existência do "resto estranho" nos faria postular um grupo de negações determinadas (qualitativas e quantitativas) em oposição a uma negação indeterminada, ou a uma dupla negação determinada (compatível com o qualificativo de Real).

Isso pode nos ajudar a entender o pareamento feito por Freud no fechamento do ensaio que predica a oposição atividade–passividade como *biológica* (como se as outras não o fossem?), a oposição Eu–mundo externo como *real* (como se o biológico não fosse real?) e a oposição prazer–desprazer como *econômica* (pertinente na condição de que isso signifique "negação quantitativa"). Portanto, a oposição Eu–mundo envolve o caso da oposição amor–indiferença, desde que esta subsuma a oposição entre prazer–desprazer. Ou seja, a indiferença e o desinteresse estão além da série prazer–desprazer à qual se sobrepõe contingencialmente. Isso se verifica no caso em que *amar* e *ser amado*, que é um caso da reversão (*Verkehrung*) ativo–passivo, se sobrepõe contingencialmente a *interesse–desinteresse*.

A inversão de conteúdo entre amor e ódio é mais um caso no qual há uma articulação entre reversão ao contrário (*Verkehrung*) com o retorno à própria pessoa (*Umwandlung*). Freud nota que o amor envolve o entrecruzamento de

uma sucessão de posições do Eu (Eu–prazer, Eu total, Eu–prazer purificado), bem como com uma sucessão de posições de não Eu (objeto, outro, estranho). Essa diferença poderia ser agrupada como os correlatos, disponíveis na língua, para exprimir modos de relação amorosa: interessar-se, precisar, gostar, amar, como casos hierárquicos de inscrição da pulsão sexual.

O ódio, ao contrário da indeterminação em vigor no par Eu–mundo, define-se por uma oposição determinada com o amor. O ódio depende de outro tipo de contingência, uma vez que sua origem, que é mais antiga que a do amor, não está ligada à vida sexual, mas à "luta do Eu pela sua conservação e sua imposição [*Behauptung*]" (FREUD, neste volume, p. 59). Encontramos aqui novo entrecruzamento (*Verschränkung*) entre a luta por reconhecimento, determinações da pulsão sexual e indeterminações do Real. É por isso que do ponto de vista da organização genital, e quase como uma conquista, o amor torna-se o oposto do ódio. A ambivalência entre amor e ódio dirigida ao mesmo objeto exprime o conflito entre o interesse (energia não libidinal de conservação do Eu) e a libido (energia da pulsão sexual). A semiologia clínica da ambivalência na neurose obsessiva é trazida como caso particular dessa gramática, uma vez que nela, mas não exclusivamente, regressão e sobreposição da organização anal–sádica tornam-se fonte de erotização do amor, o que seria condição necessária para a sustentação da relação amorosa.

O ponto decisivo e terminal ao qual o exame da teoria das pulsões como uma gramática nos leva, depois da fantasia, da formação de sintomas (na neurose e na psicose) e das relações entre amor, gozo e sexualidade, diz respeito ao estatuto da identificação em Psicanálise. Vimos que os movimentos cruzados entre reversão ao

contrário (*Verkehrung ins Gegenteil*) e retorno à própria pessoa (*Wendung gegen die eigene Person*) descrevem uma incidência da identificação, envolvendo a subtração do sujeito e a emergência da demanda ao outro que a complete, como pessoa e como objeto. Depois disso examinamos o caso no qual se pode falar em identificação como processo de entrelaçamento (*Verschränkung*) entre as diferentes gramáticas simbolizadoras do prazer–desprazer (projeção–introjeção), das realizações da pulsão (*Leistung*) e da integração unificante entre elas pelo amor (*Verliebtheit*). Finalmente, se poderia falar da identificação como sobreposição ou concomitância entre tais processos e demais modos de relação, de fracasso de relação e de não relação com o outro, como, por exemplo, a fantasia, a transferência e a diferença sexual. Esta terceira incidência da noção de identificação opera articulando a semiologia do inconsciente e sua dialética das formas de realização do desejo com a gramática das pulsões e sua dialética do trabalho de satisfação.

As pulsões e seus destinos não é apenas um texto axial da Metapsicologia freudiana, mas uma verdadeira síntese dos processos semiológicos que fundamentam a clínica psicanalítica, conferindo-lhe autonomia e independência em relação a outras formas de cura, tratamento ou terapia. Podemos dizer que ele está para a Psicanálise assim como a Anatomia e a Fisiologia estão para a Medicina. Independentemente do tipo de materialidade que se atribua a tais signos, associando-os com estruturas de linguagem, formas de pensamento, tipos de relação intersubjetiva e, ainda, modalidades lógicas ou ontológicas da experiência, não seria possível definir as operações elementares da clínica psicanalítica sem apresentar e assimilar sua própria versão sobre os destinos da pulsão.

REFERÊNCIAS

DUARTE, P. M. T. A voz média em português: seu estatuto. In: RIO-TORTO, G. M. *et al. Estudos em homenagem ao professor doutor Mário Vilela*. Porto: Seção de Linguística, Departamento de Estudos Portugueses e de Estudos Românicos da Faculdade de Letras da Universidade do Porto, v. II, 2005, p. 783-194.

FREUD, S. Das Ich und das Es. In: *Sigmund Freud Studienausgabe*. Bd. III. Frankfurt am Main: Fischer, 1973 (1915), p. 273-330.

FREUD, S. Der Witz und seine Beziehung zum Unbewussten. In: *Sigmund Freud Studienausgabe*. Bd. IV. Frankfurt am Main: Fischer, 1973 (1905), p. 9-219.

FREUD, S. Die infantile Genitalorganisation (Eine Einschaltung in die Sexualtheorie). In: *Sigmund Freud Studienausgabe*. Bd. V. Frankfurt am Main: Fischer, 1973 (1923), p. 235-242.

FREUD, S. Die Traumdeutung. In: *Sigmund Freud Studienausgabe*. Bd. IV. Frankfurt am Main: Fischer, 1973 (1900).

FREUD, S. Drei Abhandlungen zur Sexualtheorie. In: *Sigmund Freud Studienausgabe*. Bd. V. Frankfurt am Main: Fischer, 1973 (1905), p. 37-145.

FREUD, S. Ein Kind wird geschlagen (Beitrag zur Kenntnis der Entstehung sexueller Pervesion). In: *Sigmund Freud Studienausgabe*. Bd. VII. Frankfurt am Main: Fischer, 1973 (1919), p. 229-281.

FREUD, S. Jenseits des Lustprinzips. In: *Sigmund Freud Studienausgabe*. Bd. III. Frankfurt am Main: Fischer, 1973 (1920), p. 213-272.

FREUD, S. Psicopatologia de la vida cotidiana. In: *Obras completas*. v. VI. VI. Buenos Aires: Amorrortu, 1988 (1901).

FREUD, S. Psychoanalytische Bemerkungen über einen Fall von (Dementia Paranoides). In: *Sigmund Freud Studenausgabe*. Bd. VII. Frankfurt am Main: Fischer, 1973 (1909), p 133-203.

FREUD, S. Trauer und Melancholie. In: *Sigmund Freud Studienausgabe*. Bd. III. Frankfurt am Main: Fischer, 1973 (1917). p. 273-330.

FREUD, S. Triebe und Triebschicksale. In: *Sigmund Freud Studienausgabe*. Bd. III. Frankfurt am Mains: Fischer, 1973 (1915)a, p. 75-101.

FREUD, S. Zur Ätiologie der Hysterie. In: *Sigmund Freud Studienausgabe*. Bd. VI. Frankfurt am Main: Fischer, 1973 (1896), p. 51-82.

GABBI JR., O. Prefácio. In: *Crítica dos fundamentos da Psicologia*. Campinas: UNICAMP, 1998.

HANNS, L. A. *A teoria pulsional na clínica de Freud*. Rio de Janeiro: Imago, 1999.

MENARD, M.-D. A negação como saída para a ontologia. In: IANNINI, G.; ROCHA, G. *O tempo, o objeto e o avesso*. Belo Horizonte: Autêntica, 2004.

SAFATLE, V. *A paixão do negativo*. São Paulo: Fapesp–Unesp, 2005.

NOTAS

1 "[...] as moções sexuais despertam formações reativas, que para reprimir eficazmente este desprazer (resultante da atividade sexual) estabelecem diques psíquicos: repugnância, pudor, moralidade" (FREUD, 1973/1905, p. 116-117, tradução do autor).

2 Por exemplo: "Entretanto o movimento ao longo do arco pulsional não se restringe ao conjunto 'deslocamento' e 'condensação'. Há mais três outros conjuntos que agem simultaneamente: a dupla direção pulsional (regressão/progressão); a livre combinação e separação das vertentes pulsionais em arranjos de diferentes proporções (fusões e desfusões) e o desenvolvimento psíquico desigual e combinado de uma mesma vertente pulsional (as fixações e liberações de parcelas pulsionais)" (HANNS, 1999, p. 157).

3 Outro exemplo pode ser encontrado na análise do caso Schreber: "O que nós consideramos patológico, ou seja, a *formação delirante* [*Wahnbildung*], é, em realidade uma tentativa de cura [*Heilungsversuch*] e de reconstrução [*Rekonstruktion*]" (FREUD, 1973/1909, p. 193).

4 [Nota dos editores] Alternativa de tradução comumente utilizada em leituras lacanianas de Freud. Nesta coleção utilizaremos, preferencialmente, *rejeição* para traduzir *Verwerfung*, mantendo o original alemão entre colchetes.

5 "[...] *niemals eine reale Existenz gehabt* [...] *keine Falle erinnert* [...] *nie zum Bewusstwerden gebracht. Sie ist eine Konstruktion der Analyse* [...]" (FREUD, 1973/1919, p. 237, tradução do autor).

6 "*Er (der Vater) liebt nur mich, nicht das andere Kind, denn dieses schlägt er ja*" (p. 240).

7 "[...] *nur die Form dieser Phantasie ist sadistisch, die Befriedigung, die aus ihr gewonnen wird, ist eine masochistische* [...]" (FREUD, 1973/1919, p. 242).

8 Ver para isso: MENARD, 2004 e SAFATLE, 2005.

9 "No princípio, elas [essas ideias] devem manter certo grau de indeterminação; não se pode contar aí com uma clara delimitação de seus conteúdos" (FREUD, neste volume, p. 15).

OBRAS INCOMPLETAS
DE SIGMUND FREUD

A célebre "enciclopédia chinesa" referida por Borges dividia os animais em: "a) pertencentes ao imperador; b) embalsamados, c) domesticados, d) leitões, e) sereias, f) fabulosos, g) cães em liberdade, h) incluídos na presente classificação, i) que se agitam como loucos, j) inumeráveis, k) desenhados com um pincel muito fino de pelo de camelo, l) et cetera, m) que acabam de quebrar a bilha". A coleção Obras Incompletas de Sigmund Freud é um convite para que o leitor estranhe as taxionomias sacramentadas pelas tradições de escolas e de editores; classificações que incluem e excluem obras do "cânone" freudiano através do apaziguador adjetivo *completas*; que dividem a obra em classes consagradas, tais como "publicações pré-psicanalíticas", "artigos metapsicológicos", "escritos técnicos", "textos sociológicos", "casos clínicos", "outros trabalhos", etc. Como se um texto sobre a cultura ou sobre um artista não fosse também um documento clínico, ou um escrito técnico não discutisse importantes questões metapsicológicas, ou se trabalhos como *Sobre a concepção das afasias*, por exemplo, simplesmente jamais tivessem sido escritos.

A tradução e a edição da obra de Freud envolvem múltiplos aspectos e dificuldades. Ao lado do rigor

filológico e do cuidado estilístico, ao menos em igual proporção, deve figurar a precisão conceitual. Embora Freud seja um escritor talentoso, tendo sido agraciado com o prêmio Goethe, entre outros motivos, pela qualidade literária de sua prosa científica, seus textos fundamentam uma prática: a clínica psicanalítica. É claro que os conceitos que emanam da Psicanálise também interessam, em maior ou menor grau, a áreas conexas, como a crítica social, a teoria literária, a prática filosófica, etc. Nesse sentido, uma tradução nunca é neutra ou anódina. Isso porque existem dimensões não apenas linguísticas (terminológicas, semânticas, estilísticas) envolvidas na tradução, mas também éticas, políticas, teóricas e, sobretudo, clínicas. Assim, escolhas terminológicas não são sem efeitos práticos. Uma clínica calcada na teoria da "pulsão" não se pauta pelos mesmos princípios de uma clínica dos "instintos", para tomar apenas o exemplo mais eloquente.

A tradução de Freud – autor tão multifacetado – deve ser encarada de forma complexa. Sua tradução não envolve somente o conhecimento das duas línguas e de uma boa técnica de tradução. Do texto de Freud se traduz também o substrato teórico que sustenta uma prática clínica amparada nas capacidades transformadoras da palavra. A questão é que, na estilística de Freud e nas suas opções de vocabulário, via de regra, forma e conteúdo confluem. É fundamental, portanto, proceder à "escuta do texto" para que alguém possa desse autor se tornar "intérprete".

Certamente, há um clamor por parte de psicanalistas e estudiosos de Freud por uma edição brasileira que respeite a fluência e a criatividade do grande escritor, sem se descuidar da atenção necessária ao já tão amadurecido debate acerca de um "vocabulário brasileiro" relativo à metapsicologia freudiana. De fato, o leitor, acostumado a

um estranho método de leitura, que requer a substituição mental de alguns termos fundamentais, como "instinto" por "pulsão", "repressão" por "recalque", "ego" por "eu", "id" por "isso", não raro perde o foco do que está em jogo no texto de Freud.

Se tradicionalmente as edições de Freud se dicotomizam entre as "edições de estudo", que afugentam o leitor não especializado, e as "edições de divulgação", que desagradam o leitor especializado, procurou-se aqui evitar tais extremos. Quanto à prosa ou ao estilo freudianos, procurou-se preservar ao máximo as construções das frases evitando "ambientações" desnecessárias, mas levando em conta fundamentalmente as consideráveis diferenças sintáticas entre as línguas.

A presente tradução, direta do alemão, envolve uma equipe multidisciplinar de tradutores e consultores, composta por eminentes profissionais oriundos de diversas áreas, como a Psicanálise, as Letras e a Filosofia. O trabalho de tradução e a revisão técnica de todos os volumes é coordenado pelo psicanalista e germanista Pedro Heliodoro, encarregado também de fixar as diretrizes terminológicas da coleção. O projeto é guiado pelos princípios editoriais propostos pelo psicanalista e filósofo Gilson Iannini.

A coleção Obras Incompletas de Sigmund Freud não pretende apenas oferecer uma nova tradução, direta do alemão e atenta ao *uso* dos conceitos pela comunidade psicanalítica brasileira. Ela pretende ainda oferecer uma nova maneira de organizar e de tratar os textos.

A coleção se divide em duas vertentes principais: uma série de volumes organizados tematicamente, ao lado de outra série dedicada a volumes monográficos. Cada volume receberá um tratamento absolutamente singular, que

determinará se a edição será bilíngue ou não, o volume de paratexto e notas, conforme as exigências impostas a cada caso. Uma ética pautada na clínica.

Gilson Iannini
Editor e coordenador da coleção

Pedro Heliodoro
*Coordenador da coleção
e coordenador de tradução*

Conselho editorial
*Antônio Teixeira
Claudia Berliner
Christian Dunker
Claire Gillie
Daniel Kupermann
Edson L. A. de Sousa
Emiliano de Brito Rossi
Ernani Chaves
Glacy Gorski
Guilherme Massara
Jeferson Machado Pinto
João Azenha Junior
Kathrin Rosenfield
Luís Carlos Menezes
Maria Rita Salzano Moraes
Marcus Coelen
Nelson Coelho Junior
Paulo César Ribeiro
Romero Freitas
Romildo do Rêgo Barros
Sérgio Laia
Tito Lívio C. Romão
Vladimir Safatle
Walter Carlos Costa*

ENSAÍSTAS

Pedro Heliodoro

Psicanalista, germanista, tradutor. Professor da Área de Alemão – Língua, Literatura e Tradução (USP). Doutor em Psicanálise e Psicopatologia (Université Paris 7). Autor de *Versões de Freud – breve panorama crítico das traduções de sua obra* (7Letras) e coorganizador de *Tradução e Psicanálise* (7Letras).

Gilson Iannini

Psicanalista, filósofo, editor. Professor do Departamento de Filosofia da UFOP. Doutor em Filosofia (USP) e mestre em Psicanálise (Université Paris 8). Autor de *Estilo e verdade em Jacques Lacan* (Autêntica Editora).

Christian Dunker

Psicanalista. Professor titular do Departamento de Psicologia Clínica da USP. Realizou pós-doutorado na Manchester Metropolitan University. Doutor em Psicologia (USP). Ganhador do Prêmio Jabuti de Psicologia e Psicanálise por seu *Estrutura e constituição da clínica psicanalítica: uma arqueologia das práticas de cura, psicoterapia e tratamento* (Annablume Editora).

Copyright © 2013 Autêntica Editora

Título original: *Triebe und Triebschicksale*

Todos os direitos reservados pela Autêntica Editora Ltda. Nenhuma parte desta publicação poderá ser reproduzida, seja por meios mecânicos, eletrônicos, seja via cópia xerográfica, sem autorização prévia da Editora.

EDITOR DA COLEÇÃO
Gilson Iannini

EDITORA RESPONSÁVEL
Rejane Dias

EDITORA ASSISTENTE
Cecília Martins

REVISÃO
Cecília Martins
Felipe Augusto Vicari

CAPA
Diogo Droschi
(sobre imagem Sigmund Freud's Study – *Authenticated News*)

PROJETO GRÁFICO E DIAGRAMAÇÃO
Conrado Esteves

Dados Internacionais de Catalogação na Publicação (CIP)
(Câmara Brasileira do Livro, SP, Brasil)

Freud, Sigmund, 1856-1939.
  As pulsões e seus destinos / Sigmund Freud ; tradução Pedro Heliodoro. – 1. ed.; 11. reimp – Belo Horizonte : Autêntica, 2025. -- (Obras Incompletas de Sigmund Freud ; 2)

  Título original: Triebe und Triebschicksale
  Bibliografia
  ISBN 978-85-8217-316-9

  1. Psicanálise 2. Pulsões I. Título.

13-11785   CDD-150.195

Índices para catálogo sistemático:
1. Pulsões : Psicanálise : Teorias : Psicologia 150.195

Belo Horizonte
Rua Carlos Turner, 420
Silveira . 31140-520
Belo Horizonte . MG
Tel.: (55 31) 3465 4500

São Paulo
Av. Paulista, 2.073, Conjunto Nacional,
Horsa I. Salas 404-406 . Bela Vista
01311-940 . São Paulo . SP
Tel.: (55 11) 3034 4468

www.grupoautentica.com.br
SAC: atendimentoleitor@grupoautentica.com.br

Este livro foi composto com tipografia Bembo Std e impresso
em papel Off-White 70 g/m² na Formato Artes Gráficas.